L'HYMNE À L'AMOUR

EDITH PIAF

L'Hymne à l'amour

Préface de Yves Salgues

ÉDITION ÉTABLIE PAR PIERRE SAKA

LE LIVRE DE POCHE

Ce livre a pu réunir toutes ces chansons grâce à l'aimable autorisation des éditions :
S.E.M.I.
Céline
Warner Chappell Publishing France
Beuscher
M.C.A. Caravelle
Enoch
Raoul Breton
E.M.I. Publishing France
Le Chant du Monde
Hortensia
Salabert
et des éditions Métropolitaines, également pour les citations de Pierre Perret, Robert Sabatier et Christine de Rivoyre.

© Librairie Générale Française, 1994.

ISBN : 978-2-253-09624-5 – 1re publication LGF

La voix du miracle
par Yves Salgues

Curieusement, l'anecdote — que me rapporta, à l'époque, le producteur Clément Duhour[1] — est quasiment inconnue. Lorsque Sacha Guitry invite Edith Piaf à entrer dans la distribution fastueuse de *Si Versailles m'était conté*, il l'accueille avec ce mot d'auteur de théâtre : «Madame, vous avez une voix à troubler l'ordre public. Eh bien, votre heure a sonné : j'attends de vous que vous mettiez la France en état de révolte.» Ce fut alors la fameuse séquence où Piaf (qui avait depuis longtemps laissé ses haillons de «môme» au vestiaire) interpréta, cramponnée aux grilles du château — ceci avec une incroyable énergie pulmonaire : «Ah! ça ira, ça ira, ça ira/Les aristocrates à la lanterne/Ah! ça ira, ça ira, ça ira/Les aristocrates, on les pendra...»

Depuis 1935 — date à laquelle la découvrirent, pour ses vingt ans, une poignée d'initiés — Edith Piaf n'a cessé de troubler (à des titres divers, mais tous affectifs) l'ordre privé des cœurs. Par le véhicule de sa voix miraculeuse, orgue humain unique, inégalable dans l'expression des sentiments et dans leur transmission émotionnelle. La mort, la triste mort d'Edith (le 11 octobre 1963) n'a rien changé à cette souveraineté vocale. Nous pouvons même affirmer qu'en livrant prématurément à la tombe ce corps fragile et décharné, soumis aux rhumatismes déformants, ces «mains de lézard des ruines[2]», cette «bouche oraculeuse[3]», la

---

1. Le producteur de *Si Versailles m'était conté* et des fresques historiques de Sacha.
2. Je cite Jean Cocteau.
3. Idem.

7

mort a réussi un phénomène de sublimation peu ordinaire ; la cause est entendue : délivrée de l'ingrate matière, la voix d'Edith est une voix pour l'éternité. A la vie tragique de Piaf succède une postérité radieuse, qui défie allégrement l'an 2000 et tiendra tête aux siècles aussi allégrement ; ce n'est là que justice : de toutes les voix du passé, elle est la mieux placée pour traverser ce désert inconnu qu'on appelle futur.

Populaire certes, mais littéraire à l'image de celui des plus grands (Trénet, Gainsbourg, Montand, Ferré, Brassens, Aznavour, Souchon...), le répertoire d'Edith Piaf — inédit jusqu'ici — fait partie de notre patrimoine national. Pour le recomposer dans sa (presque) totalité, il a fallu à Pierre Saka une conscience de rassembleur tatillon éclairée d'une minutie d'exégète ; le résultat est une moisson passionnante qui, venue au jour dans le milieu des années 30, se développe pendant trente années, jusqu'au moment où, à quarante-huit ans, la vie d'Edith se brise de maladie et d'épuisement.

Ce catalogue, qu'il me plaît de comparer à un champ de blé où s'éploient des herbes folles, foisonne de surprises qui émerveilleront tout à la fois les jeunes paroliers d'aujourd'hui et les amateurs de tous âges lancés aux trousses de l'âme des poètes. Au fur et à mesure des pages, nos yeux sont retenus par deux décennies prodigieuses : 30-39 (la première : celle des débuts, des espoirs confirmés) et 50-59 : celle de l'accomplissement absolu, où les «tubes» et les «contre-tubes», qui s'alignent avec une fécondité inouïe, s'équivalent par leur qualité. En 1935, Edith, enregistrant *L'Étranger*, révèle une compositrice de dix-huit ans, chardon mal attifé qui a poussé dans la rue comme elle ; elle lui prédit une carrière faramineuse : «Tu seras la reine des droits d'auteur» ; son nom : Marguerite Monnot. L'année suivante, elle grave *Celui qui ne savait pas pleurer*, le texte d'un journaliste encore mineur auquel son rédacteur en chef reproche d'être toujours en retard d'un article ; avec son professionnalisme aigu et son obstination de cabocharde, Edith fera de ce fainéant romantique le plus grand auteur réaliste des temps modernes. C'est lui — Henri Contet — qui, le premier, prêtera aux états d'âme les faits, les actes et les gestes qui ne concernaient jusqu'ici que la personne humaine.

Exemple : «C'est pour ça que l'amour n'y comprenait rien/C'est pour ça que l'amour pleurait dans son coin[1]...» Autre exemple parmi quarante autres : «Un rêve a fait le tour du monde/Sur les épaules d'un marin[2]...» En 1937, Raymond Asso (qui fait paire avec Monnot) apporte à Edith une chanson *(Un jeune homme chantait)* qu'il co-signe avec un pianiste surdoué : Léo Poll ; ce Poll (c'est un pseudonyme) sera le géniteur de Michel Polnareff. Quand, beaucoup plus tard, Aznavour apparaîtra dans son cercle d'intimes, Edith — désemparée devant son originalité créatrice — le surnommera «le génie con», à ce «génie», elle se fera.

Une trentaine de biographies, d'albums, ou de livres intermédiaires ont été consacrés à Piaf, soit autant qu'à Marilyn Monroe ; ils nous ont raconté le roman lourd et précipité qu'a été sa vie. Venant à son heure en cette année 94 (où Piaf, si elle avait vécu, aurait soixante-dix-neuf ans, soit deux de moins que Trenet), cet «Hymne à l'amour» constitue un événement puisqu'il nous permet de refaire, chanson après chanson, le chemin jonché de diamants et de larmes qu'a parcouru Edith : de la Môme à Madame Piaf. Il faut souhaiter à cet «Hymne à l'amour» qu'il soit «emporté par la foule» et que notre mémoire commune ouvre largement ses bras à ces textes dont certains (ô Contet !) sont d'une beauté accablante et ineffaçable.

Yves SALGUES

---

1. *C'est pour ça* (avec M. Monnot).
2. *Les neiges de Finlande* (avec M. Monnot).

Henri Cartier — que le premier prévaut sur les deux d'une les faits, les actes et les gestes sur la concertation jusqu'à ce que la personne humaine...

Et on doit se sentir concerné et non en voyeur... Que l'on peut, par exemple, parfois, assister dans son coin... Autre exemple parfois assurer autre... Et que l'on a trop communément... les choses que chantée en 1953, Raymond Asso n'est pas encore... Mouloudji apporte à celui une chanson... et on n'aurait qu'il en soit avec un pianiste sur un donc... Léo Ferré, et Poll ne sera un prédécesseur dans le vérité de Michel Polnareff. Quand beaucoup plus tard, Anthony... apparaîtra dans son cercle d'intimes, Polnareff... sera devant son originalité créatrice — le son surgira, la génie compa... avec créativité, alors tout...

Un fantôme de biographies, d'album, ou de livres entièrement consacrés à l'œuvre consacrés à elle-même... Marilyn Monroe... les nouveaux maîtres le considèrent... ce modèle qu'à are sa vie. Venant à son propre envie... somme du naturel, si elle était vieux, aurait soixante-dix... meilleurs, son désir de moins que l'on ne suit le rythme... les moins connues un évènement, comme il nous permet...

À retenir un incomplète... dessins, le dessin unique de... charme, et de larmes que la personne... Louis... de la Monroe, Madame Marilyn finit surtout à cette femme... Partout... qu'il s'en emporte par le tout, et que nous nous... mémoire continue... courbe ta peinture... les traits... toute dont certaine... de Conrad, son d'un beau... blanche et ineffaçable...

YVES SALGUES

1925

Comme un moineau

Paroles de M. Hély   *Musique de J. Lenoir*

Couplet 1

C'est près d'un' gouttière à matous
Dans un' mansarde de n'importe où
A Montparnasse,
Que j'suis v'nue au mond' sur les toits
Et que j'ai, pour la premièr' fois,
Ouvert les chasses
Mes pèr' et mèr' déchards comm' tout,
Qui de plus n'aimaient pas beaucoup
Sucer d'la glace,
A l'heur' des r'pas dans notr' garno,
M'laissaient souvent sans un pélo,
Le bec ouvert,
Comme un moineau !

Couplet 2

A l'âge où tous les autr's marmots,
A l'écol' vont s'meubler l'cerveau,
De bonn' grammaire
Avec un tas d'mauvais loupiots
Dans les coins on allait jouer au
Pèr' et à la mère,
Bien sûr ces p'tits jeux innocents
Ne dév'lopp'nt pas précisément
Les bonn's manières
A quinze ans, droit' sur mes ergots,
J'allumais tous les gigolos
L'œil effronté
Comme un moineau !

Couplet 3

L'premier qu'a voulu ma vertu,
Pour me posséder n'a pas eu
A fair' de siège
Il n'a eu qu'à m'ouvrir les bras
Et mon amour est tombé là
Comm' dans un piège
Si j'avais l'esprit perverti
Mon cœur, au contraire, était lui
Pur comm' la neige
Nous éveillant sous les bécots
Nous allions à tous les échos
Chanter l'amour,
Comm' deux moineaux!

Couplet 4

Il me plaqua, a-t-il eu tort?
Je me suis consolée d'un sort
Qui est le nôtre,
Avec un p'tit gars dessalé,
Mais qui, pour ne pas travailler,
M'vendit à d'autres.
On s'accoutume à ne plus voir
La poussière grise du trottoir
Où l'on se vautre.
Chaqu' soir su' l'pavé parigot,
On cherch' son pain dans le ruisseau
Le cœur joyeux
Comm' des moineaux!

Couplet 5

L'hiver viendra et mon seul bien,
Ce pauvre corps qui, je l'sens bien,
Déjà se lasse
Tomb'ra sur le pavé brutal
J'pass'rai sur un lit d'hôpital
Un soir d'angoisse.
Pas plus mauvaise que beaucoup

12

J'aurais préféré malgré tout,
Au lieu d'un poisse,
Un homm' qui m'eût aimée d'amour
Pour avec lui finir mes jours
Dans un nid chaud,
Comme un moineau !

1933

Entre Saint-Ouen et Clignancourt

Paroles de M. Aubret   *Musique de A. Sablon*

J'ai vendu des fleurs aux terrasses
Quand j'avais dix-sept ans
Mais la roue tourne, le temps passe
J'ai du fric à présent
Eh bien ! Malgré mon compte en banque
Ma bagnole, mes bijoux
Certains jours quelque chose me manque
J'ai l'cafard tout à coup.

Refrain

Entre Saint-Ouen et Clignancourt
De temps en temps faut qu'j'fasse un tour
Sur la zone
Je r'trouve alors tout mon passé
Le ciel si doux, les durs pavés
L'herbe jaune
Et pataugeant dans les ruisseaux
Des bandes de gosses moitié poulbots
Moitié faunes
L'odeur de frites et de lilas
En frissonnant je r'trouve tout ça
Sur la zone.

2

A mon avis les gens du monde
Ne sav'nt pas fair' l'amour
Au moment critique ils abondent
En bobards, en discours

15

Alors cell's qui comm' moi connaissent
C'que c'est qu'un mâle, un vrai,
Cell's 'là s'dis'nt : un mec, en vitesse
Et je me rattrap'rai.

Refrain

Entre Saint-Ouen et Clignancourt
De temps en temps faut qu'j'fasse un tour
Sur la zone
On s'envoie chez le gros Léon,
Tandis que chant' l'accordéon,
Un vieux Beaune
C'est le printemps et c'est le soir
Calmes et forts, devant l'comptoir
Des gars trônent
Et dans l'tas on n'a qu'à choisir
Pour apaiser tous ses désirs
Sur la zone.

3

Quelquefois mêm' le cœur s'en mêle
Et pour entendre mieux
La voix qui dit : « Môm' c'que t'es belle »
On ferme les deux yeux
Mais on n'vit d'amour et d'eau claire
Que dans certains romans
Alors bien vite on s'fait la paire
Sans rêver plus longtemps.

Refrain

Entre Saint-Ouen et Clignancourt
Je suis rev'nue hier faire un tour
Sur la zone
Quel chang'ment alors j'ai trouvé
On démolit de tous côtés
Quel cyclone...
Plus d'bosquets, plus d'baraqu's en bois
Plus d'ces chansons qu'étaient pour moi

16

Une aumône
Et devant mes souv'nirs détruits
Tout' seul' j'ai pleuré dans la nuit
Sur la zone.

1934

L'étranger

Paroles de R. Malleron

Musique de Juel et M. Monnot

Il avait un air très doux
Des yeux rêveurs un peu fous
Aux lueurs étranges
Comme bien des gars du Nord
Dans ses cheveux un peu d'or
Un sourire d'ange.
J'allais passer sans le voir
Mais quand il m'a dit bonsoir
D'une voix chantante
J'ai compris que ce soir-là
Malgré la pluie et le froid
Je serais contente.
Il avait un regard très doux
Il venait de je ne sais où.

D'où viens-tu ? quel est ton nom ?
Le navire est ma maison
La mer mon village
Mon nom nul ne le saura
Je suis simplement un gars
Ardent à l'ouvrage.
Et si j'ai le cœur trop lourd
Donne-moi donc un peu d'amour
Espoir de caresses.
Et moi fille au cœur blasé
J'ai senti sous ses baisers
Une ardente ivresse.
Il avait un regard très doux
Il venait de je ne sais où.

Simplement sans boniments
J'aimais mon nouvel amant
Mon époux d'une heure.
Comme bien des malheureux
Il croyait lire en mes yeux
La femme qu'on pleure.
Et follement j'espérais
Qu'au matin il me dirait
Suis-moi je t'emmène.
J'aurais dit oui, je le sens,
Mais il a fui, me laissant
Rivée à ma chaîne.
Il avait un regard très doux
Il venait de je ne sais où.

J'ai rêvé de l'étranger.
Et le cœur tout dérangé
Par les cigarettes
Par l'alcool et le cafard
Son souvenir chaque soir
M'a tourné la tête.
Mais on dit que près du port
On a repêché le corps
D'un gars de marine
Qui par l'amour délaissé
Ne trouva pour le bercer
Que la mer câline.
Il avait un regard très doux
Il s'en allait je ne sais où.

1935

Fais-moi valser…

Paroles de Telly   Musique de Ch. Borel-Clerc

1er Couplet

Le jazz reprend pour nous sa valse d'amour
Pourtant du beau roman c'est le dernier jour
J'ai mal, mais devant toi, je n'ose pas pleurer
Puisque tout est fini, avant de nous quitter :

Refrain

Fais-moi valser une dernière fois
Serre-moi tout près de toi.
Dis-moi tout bas de jolis mots d'amour,
Les mêmes qu'au premier jour.
Berce-moi doucement comme un oiseau blessé
Dans tes bras, un instant, je veux encor rêver.
Comme un reflet de mon bonheur passé,
Mon amour, fais-moi valser.

2e Couplet

Sur terre tu sais bien, je n'avais que toi !
Tu veux déjà partir… je comprends pourquoi…
Chéri elle attendra… je l'ai fait si souvent…
Va-t'en vers ton bonheur, si tu veux… mais avant :

(Au refrain)

3e Couplet

Malgré que mon tourment pour toi, compte peu…
Je n'ai qu'un seul désir… que tu sois heureux !
Je vivrai désormais, avec ton souvenir…
Adieu mon bel ami… mais avant de partir :

[*(Au refrain)*

© S.E.M.I., 1935.

21

1936

Le contrebandier

Paroles de R. Asso

Musique de J. Villard

1

Il était né sur la frontière
Là-haut dans le Nord où c'qu'y'a du vent
Contrebandier tout comme son père
Il avait la fraud' dans le sang
Il attendait les nuits sans lune
Quand il fait sombre on passe bien mieux
Pour s'faufiler par les grandes dunes
Où l'vent de la mer nous pique les yeux

Refrain

Ohé la douane
Ohé les gabelous
Lâchez tous les chiens
Et puis planquez-vous
Au fond de vos cabanes
Regardez sur la dune
L'homme qui passe là-bas
Il est pourtant seul
Mais vous n'l'aurez pas
Il s'fout d'la douane
Au fond de vos cabanes
Allez planquez-vous
Et lâchez les chiens
Oh les gabelous
Ohé la douane

2

Quand il avait rien d'autre à faire
Les nuits où qu'il faisait trop clair

Il changeait les poteaux frontières
Et foutait le monde à l'envers
Ou bien d'autres fois en plein passage
Quand il avait bu un bon coup
Il poussait de vrais cris sauvages
Et v'là qu'je passe dépêchez-vous

Refrain

Ohé la douane
Ohé les gabelous
Lâchez tous les chiens
Et puis planquez-vous
Au fond de vos cabanes
Regardez sur la dune
L'homme qui passe là-bas
C'est moi ; moi tout seul
Mais vous n'm'aurez pas
J'me fous d'la douane
Au fond de vos cabanes
Allez planquez-vous
Et lâchez les chiens
Ohé les gabelous
Ohé la douane

3

Il pouvait pas s'mettre dans la tête
Qu'la loi des hommes c'est très sérieux
C'était comme une sorte de poète
Et ces types-là c'est dangereux
Alors une nuit qu'y'avait d'la lune
Qu'y baladait pour son plaisir
Ils l'ont étendu sur la dune
A coup d'fusil pour en finir

Refrain

Ohé la douane
Ohé les gabelous
Planquez tous vos chiens
Et puis amenez-vous

24

Du fond de vos cabanes
C'est d'la belle ouvrage
Seulement ce soir
Ce n'était qu'un homme
Il travaillait pas
T'entends la douane
Alors fallait pas
Et puis planquez-vous
Au fond de vos cabanes
Ohé les gabelous
Ohé la douane

Va danser

Paroles de G. Couté   *Musique de M. Legay*

1

Au mois d'août en fauchant les blés
On crevait de soif dans la plaine
Le cœur en feu je suis allée
Boire à plat ventre à la fontaine
L'eau froide m'a glacé les sangs
Et je meurs par ce temps d'automne
Où l'on danse devant la tonne
Durant les beaux jours finissants

Refrain

J'entends les violons
Marie
Va, petiote que j'aime bien
Moi je n'ai plus besoin de rien
Va-t'en danser à la prairie
J'entends les violons
Marie

2

Rentre dans la ronde gaiement
Et choisis un beau gars dans la ronde

Et donne-lui ton cœur aimant
Qui resterait seul en ce monde
Oui, j'étais jaloux cet été
Quand un autre t'avait suivi
Mais on ne comprend bien la vie
Que sur le point de la quitter

Refrain

J'entends les violons
Marie
Va, petiote que j'aime bien
Moi je n'ai plus besoin de rien
Va-t'en danser à la prairie
J'entends les violons
Marie

3

Et plus tard tu te marieras
Et tant que la moisson sera haute
Avec ton amour et deux bras
Moissonnant un jour côte à côte
Vous viendrez peut-être à parler
Émus de pitié grave et sobre
D'un gars qui mourut en octobre
D'un mal pris en fauchant les blés

Refrain

J'entends les violons
Marie
Va, petiote que j'aime bien
Moi je n'ai plus besoin de rien
Va-t'en danser à la prairie
J'entends les violons
Marie

Les hiboux

Paroles de E. Joullot   *Musique de P. Dalbret*

1

Il y en a qui viennent au monde veinards
D'autres, au contraire, toute leur vie sont bignards
Mon père était, paraît-il, un baron
Ma mère était boniche dans sa maison
L'patron lui ayant fait du boniment
Et de plus lui ayant fait un enfant
Ma pauv' baronne, par la patronne
Fut balancée en vitesse, et comment!!!
Pour me nourrir ma mère devint catin
Et moi, depuis, j'suis d'venu un vaurien.

Refrain

C'est nous qui sommes les hiboux
Les apaches, les voyous
Ils en foutent pas un coup
Dans le jour, nous planquons nos mirettes
Mais le soir nous sortons nos casquettes
Nos femmes triment sur l'Sébasto
Pendant qu'nous chez l'bistrot dans un coin bien au
                                        [chaud
On fait sa p'tite belote avec des mecs comme nous
Des coquins, des apaches, des hiboux.

2

Faut pas s'tromper nous ne sommes pas bons à tout
On est des poisses, des copards, et c'est tout
On n'nous rencontre jamais sur les boulevards
Seulement le soir, pour chasser leur cafard,
Les gens rupins et blasés, les vicieux
Avec leurs poules qui nous font les doux yeux
Viennent dans nos bouges boire du vin rouge
Et en dansant, elles nous appellent... Oh mon Dieu!...
On sent leur chair qui frémit dans nos bras
Alors on serre en leur disant tout bas :   *(Au refrain)*

3

Y'en a qui croient être des hommes affranchis
Aha! y m'font marrer avec tous leurs chichis
Nous on sait bien que ça finira au grand air
Le cou serré dans l'truc à m'sieur Débler
A moins qu'un soir, un mahoutin, un costaud
Nous r'file un coup d'son surin dans la peau
Ça finit vite, sans eau bénite
Nos héritiers qui touchent tous des bigorneaux
Nous les toquards on claque dans un sale coup
Oh! Que ce soit là ou ailleurs, on s'en fout!...

Refrain

C'est nous qui sommes les hiboux
Les apaches, les voyous
Il en coûte pas un coup
Dans le jour nous planquons nos mirettes
Mais le soir nous sortons nos casquettes
Écoutez ça, vous les rupins
Gare à moi le coquin quand chacun fera son chemin
Si mon père n'avait pas agi comme un voyou
Moi aussi, j's'rais p't'être un homme comme vous...

© Éditions Universelles, 1936.

Quand même

Parles de J. Mario et L. Poterat   *Musique de J. Wiener*

Le bonheur quotidien
Vraiment ne me dit rien
La vertu n'est que faiblesse
Qui voit sa fin dans le ciel
Je préfère la promesse
Des paradis artificiels

Je sais qu'à la porte d'un bar
Où j'aurai bu jusqu'à l'extrême
On ramassera quelque part

Mon corps brûlé sur un brancard
Je bois quand même...
Que sous la drogue lentement
D'extase en extase suprême
Je m'approche implacablement
Du sombre asile des déments
J'en prends quand même...
Je sais qu'en la femme fatale
Dans les bras d'un amant trop blême
S'infiltrera l'horrible mal
Dont on crève au lit d'hôpital
J'aime quand même...

Mes sens inapaisés
Cherchent pour se griser
L'aventure des nuits louches
Apportez-moi du nouveau
Le désir crispe ma bouche
La volupté brûle ma peau

Je sais qu'à la porte d'un bar
Où j'aurai bu jusqu'à l'extrême
On ramassera quelque part
Mon corps brûlé sur un brancard
Je bois quand même...
Que sous la drogue lentement
D'extase en extase suprême
Je m'approche implacablement
Du sombre asile des déments
J'en prends quand même...
Je sais qu'en la femme fatale
Dans les bras d'un amant trop blême
S'infiltrera l'horrible mal
Dont on crève au lit d'hôpital
J'aime quand même...

La Julie jolie

Paroles de G. Couté   *Musique de L. Daniderff*

A la luée de la Saint-Jean
Un fermier qui se raclait des rentes
Dans le champ de misère des pauvres gens
Alla s'enquérir d'une servante
Après avoir hoché longtemps
Pour quatre paires de sabiots par an
Avec la croûte, et puis le logement
Il fit embauche de la Julie
La Julie, qu'était si jolie...

Il l'employa sans un brin de repos
Du fin matin à la nuit grande
A mener pâturer les bestiaux
Dans l'herbe déleudée de la lande
Mais un soir qu'il était tout joyeux
D'avoir liché queuqu's coups d'vin
Il se sentit devenir amoureux
Et sauta dans le lit de la Julie
La Julie, qu'était si jolie...

Depuis c'jour-là devenu fou d'amour
Il t'y paya des amusettes
Des affutiaux qu'l'orfèv' du bourg
Vous compte toujours des yeux d'la tête
Puis vendit brêmaill's et genêts
Vendit sa lande et son troupet
A seule fin de s'faire des jaunets
Pour mettre dans le bas blanc de la Julie
La Julie, qu'était si jolie...

Si bien qu'un coup qu'il eut plus rien
Il eut vendu jusqu'à sa ferme
A l'mit dehors au vent du chemin
Comme un gars qui pai' plus son terme
Mais ce jour-là c'était la Saint-Jean
Pour quatre paires de sabiots par an

Avec la croûte et puis le logement
Il s'embaucha chez la Julie
La Julie, qu'était si jolie...

Mon apéro

Paroles de R. Malleron   *Musique de R. Juel*

On peut donner des leçons de morale
Quand on possède bonne soupe et bon feu
Mais quand on ne possède que peau de balle
On prend son plaisir où l'on peut
Dans le quartier, on me blague
Je suis un pilier de bistrot
C'est vrai qu'avec les pochards, je divague
Chaque fois que j'ai le cœur trop gros
D'autres cherchent des trucs compliqués
Mais comme j'ai horreur du chiqué
Moi, c'est au bord du comptoir
Que je prends tous les soirs
Mon apéro...

J'discute avec le patron
Je l'appelle par son petit nom
Ben c'est un bon gros
Comme les mâles je lui dis :
«Arthur, vas-y!»
Et je te lui joue la tournée au zanzi
Le phono joue une java
L'ennui doucement s'en va
Tout me semble beau
Et je noie mon ennui profond
Pour une heure tout au fond
D'un apéro...

Sur mes seize ans, comme j'étais belle gosse
Tous les gars m'faisaient du boniment
Alors je me suis mise à faire la noce

C'est venu, je ne sais pas comment
Y' m'payaient tout sans rien dire
J'avais voiture et hôtel
Mais il fallait toujours sourire
Le cœur barbouillé de fiel
Et je rêvais d'un petit mécano
Qui ne m'offrirait que des bécots
Alors, pour chasser le noir
Je buvais dans tous les bars
Des apéros...

Grimpée sur un tabouret
Trempé dans mon gobelet
Un chalumeau
Et devant l'air fatigué des danseurs
Je me sentais prise par les chazes du chausseur
Plus que moi riche d'amour
Il embrassait chaque jour
Une dactylo
Et je n'avais pour consoler
Mon cœur si désolé
Que les apéros...

Mais les cocktails me tournaient la tête
Alors j'ai bientôt plaqué l'métier
Me revoilà, bon Dieu que la vie est bête,
Revenue dans mon vieux quartier
La revoilà ma petite église
Et chez moi rien n'a changé... rien !
Rien, sinon mon cœur, cette prison grise,
A qui tout reste étranger
Hélas, le bonheur n'a qu'un temps
Voyant que l'amour foutait le camp
Je suis revenue au comptoir
Où l'on me payait le soir
Des apéros...

Je ne crois plus à rien du tout
Patron, encore un coup !
Et du costaud

32

C'est embêtant, oui, quand je revois les cieux
Et dans mon rêve je pêche des rêves bleus
Affalée par les coups durs
J'ai pas mis la main sur le bon numéro
Le numéro…
Et mon cœur vide d'amour
N'a plus son vrai secours :
Les apéros…

J'entends la sirène

Paroles de R. Asso   *Musique de M. Monnot*

J'entends encore la sirène
Du beau navire tout blanc
Qui voilà bien des semaines
Va des Iles sous le Vent
Lorsqu'à la marée montante
Il entra dans le vieux port
Je riais, j'étais contente
Et mon cœur battait très fort

Le vent chantait sur la dune
Et jouait avec la mer
Où se reflétait la lune
Dans le ciel tout était clair
Le premier qui vint à terre
Fut un jeune moussaillon
Le deuxième un vieux grand-père
Puis un homme à trois galons
Donnez-moi ô capitaine
Du beau navire tout blanc
Qui venait des mers lointaines
Un beau marin pour amant
Je l'attendrai sur la dune
Là-bas tout près de la mer
Au ciel brillera la lune
Dans mon cœur tout sera clair

Il est venu magnifique
Avec une flamme… en Dieu
Venant des lointains tropiques
Savait des mots merveilleux
Me piqua toute une bague
Me jura d'éternels serments
Que se répétaient les vagues
En clapotant doucement
Nous étions seuls sur la dune
Le vent caressait la mer
Dans le ciel riait la lune
Et lui mordait dans ma chair
Il partit sur son navire
Son beau navire tout blanc
Et partit sans me le dire
Un soir au soleil couchant

J'entends toujours la sirène
Du bateau qui l'emporta
Sa voix hurla inhumaine
— Tu ne le reverras pas !
Et depuis lors sous la lune
Je vais écouter le vent
Qui vient le soir sous la dune
Me parler de mon amant.

Simple comme bonjour

Paroles de Roméo Carlès　　　　　　*Musique de Louiguy*

C'est une histoire si banale
Vraiment si peu originale
Je ne sais pas pourquoi en vérité
On me la fait toujours répéter
Ell's ont été plus qu'une copine
C'était pour moi presqu'une frangine
Mais l'aventure tient en quelques mots concis
Et l'on peut la résumer ainsi

34

La blonde et la brune
S'entendaient depuis toujours
L'amour en prit une
Tout ça est simple comme bonjour

Car un beau jour il est venu un gars
Dont les grands yeux étaient pleins de tendresse
Mais elle était bien plus belle que moi
Et c'est la blonde qui fut sa maîtresse

C'est une histoire si banale
Elle n'est guère originale
A travers un voile de pleurs dans les yeux
Je les ai vus partir tous les deux

Chacun disait qu'elle était belle
Ces mots comme une ritournelle
Dansaient dans ma tête
Et y dansent depuis
Sans prévenir les jours et les nuits

La blonde et la brune
Jadis riaient de l'amour
L'amour en prit une
Tout ça est simple comme bonjour

Le gars parti, la fille avec lui
Je suis restée avec pour seul ami
Ma lourde peine et chaque jour l'ennui
Emplit mon cœur et plane sur ma vie

Mon Dieu que l'histoire est banale
Et qu'elle est peu originale
Ça finirait là qu'on en parlerait plus
Mais le hasard ne l'a pas voulu

Chacun disait qu'elle était belle
Ah l'obsédante ritournelle
Alors quand j'l'ai vue

Toute seule au fond du bois
Mais tout ça ne regarde que moi

La blonde et la brune
Sont séparées pour toujours
Il n'en reste qu'une
Tout ça est simple comme bonjour

Reste

Paroles de J. Simonot et P. Bayle   *Musique de W. Leardy*

On s'était quittés tous les deux
Et brusquement, là, c'est curieux,
On se retrouve face à face
On croyait ne plus se revoir
Puisqu'après une scène, un soir,
Je t'ai dit : « Pars ! Que tout s'efface ! »
Maintenant que tout est bien fini
Et que nos cœurs se sont repris
Ne pensons plus qu'aux jolis gestes
Causons en amis simplement
Non ! Ne pars pas ! Rien qu'un moment...
Allons, voyons, je t'en prie...
Reste...

Reste que nous parlions un peu
Du temps où nous étions heureux
Car nous le fûmes j'imagine
En cet instant mon cœur ému
Vraiment ne se rappelle plus...
Que de nos minutes divines
Le mal que nous nous sommes fait
Petit à petit disparaît
Lorsque j'évoque tout le reste
Ta main frémit entre mes doigts...
Tu te rappelles... alors pourquoi
Vouloir t'en aller déjà ?
Reste...

Reste ! A moins qu'au fond de ton cœur
Plus rien n'existe, j'en ai peur
Ta vie serait-elle à une autre ?
... Oui ? Alors, tu ne m'aimes plus !
Un nouvel amour est venu
Remplacer la trace du nôtre
Ah ! Tu vas la retrouver ce soir...
Aussi, quel désir, quel espoir
En toi soudain se manifestent
Oh non ! Pas encore ! Je ne veux pas !...
Tu n'iras pas entre ses bras !
Tu n'iras pas, entends-tu ?
Reste !

Reste ! Oh pardon !... Je souffre trop !
Je suis là et je dis des mots
Qui te laissent voir ma détresse...
Sans toi, chaque nuit je pleurais
Et te retrouvant, j'espérais
Au moins un élan de tendresse...
Mais quoi ? Des larmes dans tes yeux ?!
Est-ce un remords, est-ce un adieu ?
Vois, je n'ai plus qu'un dernier geste,
Et c'est de t'offrir mon pauvre cœur
Où survit tout notre bonheur...
Oh ! Chéri !... Tu restes !... Tu restes...

J'suis mordue

Paroles de L. Carol et R. Delamare　　　　　　*Musique de J. Lenoir*

Quand les copines parlent de mon p'tit homme
Disent : « Ah ! c'qu'il est laid ! »
« Il est tatoué, ridé comme une vieille pomme »
« Il n'a rien qui plaît »
C'que je me bidonne avec toutes leurs salades
Bobards à la noix

Qu'est-ce que je peux rendre aux reines de la panade
Qui bêchent mon p'tit roi
S'il est simple, s'il a l'air d'un fauché
En douce comment qu'il vous fait guincher

Avec sa face blême
Son col café-crème
Quand il me dit «je t'aime»
J'suis mordue!
Ses grandes patoches blanches
Son corps qui se déhanche
C'est Dandy la planche
J'suis mordue!
C'lui qui l'connaît pas le prend pour un bon apôtre
Il sait si bien faire meilleur que les autres
Si je lui fais un 'vanne
Avec ses tatanes
Oh! comment qu'il me dépanne
J'suis mordue!

Si on lui demande: «Qu'est-ce que tu fais dans la vie?»
Il répond froidement:
«Je suis chômeur, j'mange mes économies.»
C'est navrant vraiment
Puis il exhibe sa carte de chômage
Et s'plaît d'ajouter:
«Ça m'sert en plus 'près d'certains personnages
D'carte d'identité.»
Puis sortant sa photo il s'écrie
Ah y'a rien de mieux à l'anthropométrie!

Avec sa face blême
Son col café-crème
Quand il me dit «je t'aime»
J'suis mordue!
Toujours y m'resquille
Il me prend pour une bille
Mais j'suis une bonne fille
J'suis mordue!
Au billard russe chaque soir il s'exerce

Faut bien dit-il «faire marcher le commerce»
Il peut tout me faire
C'est là mon affaire
Il n'y a rien à faire… J'suis mordue !

Quand je serai vieille il me plaquera j'en suis sûre
A moins qu'il claque avant moi ça me rassure !
Ah c'est un phénomène
J'suis faite comme une reine
Mais dès qu'il s'amène
J'suis mordue !

Les mômes de la cloche

Paroles de Decage   *Musique de V. Scotto*

1

D'un bout à l'autre de la semaine
Sur les boulevards dans les faubourgs
On les voit traîner par centaines
Leurs guêtres sales et leurs amours
Dans des chemises de dix jours
Sous la lumière des réverbères
Prenant des airs de Pompadour
Ce sont nos belles ferronnières
Ce sont nos poupées, nos guignols, nos pantins
Écoutez dans la nuit
Elles chantent ce refrain :

Refrain

C'est nous les mômes, les mômes de la cloche
Clochards qui s'en vont sans un rond en poche
C'est nous les paumées, les purées d'paumées
Qui sommes aimées un soir n'importe où
Nous avons pourtant
Cœur pas exigeant
Mais personne n'en veut

Eh ben tant pis pour eux
Qu'è'qu'ça fout
On s'en fout!
Nul ne s'y accroche
Il n'y a pas d'amour
Et l'on sera toujours
Les mômes de la cloche!

2

Mais comme elles n'ont pas les toilettes
Qu'il faut pour les quartiers rupins
C'est pas aux Galeries Lafayette
Qu'elles vont faire chaque soir leur turbin
Le long du canal Saint-Martin
Au Sébasto, à la Chapelle
On est toujours assez gandin
Pour le monsieur qui vous appelle
D'l'article populaire, c'est pas du beau joujou
Y'a pas d'poupées en soie
Aux bazars à trente sous

Refrain

C'est nous les mômes, les mômes de la cloche
Clochards qui s'en vont sans un rond en poche
C'est nous les paumées, les purées d'paumées
Qui sommes aimées un soir n'importe où
Tout comme nos ribouis
Nous n'sommes pas vernies
Jamais l'on ira
Sur la Riviera
Qu'è'qu'ça fout
On s'en fout!
Quand l'argent nous fauche
On va faire quatre jours
Là-bas dans la Tour
Les mômes de la cloche

3

Elles ont vendu toutes leurs caresses
Elles furent payées tant bien que mal
Puis un jour, plus rien dans la caisse
Vont se fiche dans l'canal
Et sans avoir comme un cheval
La pitié des gens de la rue
On les emmène à l'hôpital
La foule dit « ce n'est qu'une grue »
Et voilà comment nos poupées, nos pantins
Lorsqu'elles n'ont plus le sou
S'en vont toutes à Pantin.

Refrain

C'est nous les mômes, les mômes de la cloche
Clochards qui s'en vont sans amis, sans proches
C'est nous les paumées, les purées d'paumées
Qui s'en vont dormir dans l'horrible trou
Derrière not'convoi
Jamais l'on ne voit
Ni fleurs ni couronnes
Pas même une personne
Qu'è'qu'ça fout
On s'en fout !
Quand la mort nous fauche
C'est not' plus beau jour
Cloches, sonnez pour
Les mômes de la cloche !...

La java de Cézigue

Paroles de Groffe   *Musique de Eblinger*

Cézigue est un p'tit bonhomme
Aux joues joufflues comme une pomme
Qui joue d'l'accordéon
Le soir chez un bougnat de la rue d'Charenton

Hop!
Faut l'voir avec sa casquette
Mise à la casseur d'assiettes
Et son p'tit bout d'mégot
Qui l'fait sans arrêt clignoter des carreaux
Moi d'habitude la musique
C'est rigolo ça me donne envie d'roupiller
Ça me rend neurasthénique
Et j'me sens pas du tout pour gambiller
Ah oui, mais quand c'est l'p'tit Cézigue
En bras d'chemise qui fait l'zigue
Il tire des sons d'son accordéon
Ça fiche le frisson
On vous corne dans les oreilles
Que les javas sont toutes pareilles
Eh ben ceux qui disent ça
C'est qu'ils connaissent pas
Cézigue et sa java. Hop!

Quand l'Cézigue a fait une touche
La môme n'attrape pas les mouches
Et la carrée d'l'hôtel
Devient subitement la succursale du ciel
Et puis après le béguin s'tasse
Pour un mot qui n'est pas en place
C'est fini d'rigoler
Cézigue s'est déguisé
En machine bosselée
Quand un monsieur ordinaire
Corrige une dame parce qu'il a les nerfs agacés
Ça change de place la poussière
Et cinq minutes après tout est classé
Ah! Ah oui, mais quand c'est l'p'tit Cézigue
En bras d'chemise qui fait l'zigue
Il fout des gnons
Oh cré nom de nom
Quelle distribution
On vous corne dans les oreilles
Que les javas sont toutes pareilles
Eh ben ceux qui disent ça

C'est qu'ils connaissent pas
Cézigue et sa java.
Hop !

Vous pensez bien que Cézigue
Ne sort pas d'une caisse de piques
Comme on le demande partout
Qu'il fasse n'importe quoi
C'est jamais pour des sous
Ni pour être tout comme les potes
On remet ça à la belote
Ou bien sur un toquard
Qui fait sur la pelouse
De grands coups de trafalguard
Mais non ! Ah !
Non pour une année à la planque
Sans avoir fait la bugatti
Comme un gigolo
Il a un compte à la banque
Et une belle petite crèche au bord de l'eau
Aussi quand on voit Cézigue
En bras d'chemise qui fait l'zigue
Sans attiger
Même les étrangers
Disent : « Il sait nager »
On vous corne dans les oreilles
Que la vie n'est pas une merveille
Hah !
Eh ben ceux qui disent ça
C'est qu'ils connaissent pas
Cézigue et sa java.
Hop !

'Chand d'habits

Paroles de J. Bourgeat   *Musique de R. Alfred*

Dis-moi, 'chand d'habits
N'as-tu pas trouvé
Parmi le lot de mes vieilles défroques
Que ce matin je te vendis à regret
'Chand d'habits, parmi elles,
N'as-tu trouvé tout en loques,
Triste, lamentable, déchiré,
Un douloureux cœur abandonné?
Rends-moi, je t'en prie, mon ami,
Cette chose meurtrie...
C'est mon pauvre cœur... j'en ai besoin...
Crois-tu, mon vieux, que c'est bête!
Quand tu es venu à mon appel
Faire l'emplette
Je croyais bien n'y pas tenir autant...

Quand tu partis chargé de ton triste fardeau
Tout mon passé suivit, et je pleure...
Je pleure mes soucis, mon enfance,
Mes chers amours qui ne sont plus que souvenance...
Rends-moi mon pauvre cœur,
Triste objet périmé...
Revends-moi la joie qui m'a quittée...
Dis! 'chand d'habits!...
Cette pauvre chose, c'était pour l'oubli...
C'est toute ma vie...
Oui...
Dis-moi, 'chand d'habits,
Parmi mes défroques,
N'as-tu pas trouvé mon pauvre cœur en loques?...

La petite boutique

Paroles de Roméo Carles   *Musique de O. Hodeige*

Je sais dans un quartier désert
Un coin qui se donne des airs
De province aristocratique
J'y découvris l'autre saison
Encastrée entre deux maisons
Une minuscule boutique
Un beau chat noir était vautré
Sur le seuil quand je suis entrée
Il leva sur moi ses prunelles
Puis il eut l'air en me voyant
De se dire : « Tiens ! Un client...
Quelle chose sensationnelle ! »

Ce magasin d'antiquités
Excitait ma curiosité
Par sa désuète apparence
Une clochette au son fêlé
Se mit à tintinnabuler
Dans le calme et tiède silence
Soudain, sorti je ne sais d'où
Un petit vieillard aux yeux doux
Me fit un grand salut baroque
Et j'eus l'étrange sentiment
De vivre un très ancien moment
Fort éloigné de notre époque

Je marchandais un vieux bouquin
Dont la reliure en maroquin
Gardait l'odeur des chambres closes
Lorsque je ne sais trop comment
Je me mis au bout d'un moment
A parler de tout autre chose
Mais le vieux ne connaissait rien
Quel étonnement fut le mien
De constater que le bonhomme
Ne savait rien évidemment

Des faits et des événements
Qui passionnaient les autres hommes

Il ignorait tout de ce temps
Aussi bien les gens importants
Que les plus célèbres affaires
Et c'était peut-être cela
Qui, dans ce tranquille coin-là
Créait cette étrange atmosphère
J'acquis le bouquin poussiéreux
Et je partis le cœur heureux
Le chat noir toujours impassible
Dans un petit clignement d'yeux
Parut me dire, malicieux :
« Tu ne croyais pas ça possible !... »

Je m'en allai, et puis voilà
Mon anecdote finit là
Car cette histoire ne comprend
Ni chute, ni moralité
Mais quand je suis trop affectée
Par les potins que l'on colporte
Par les scandales dégoûtants
Par les procédés révoltants
Des requins de la politique
Afin de mieux m'éloigner d'eux
Je vais passer une heure ou deux
Dans cette petite boutique...

Y'avait du soleil

Paroles et musique de J. Lenoir

1

Dans tout le raffut des musiques
Des pianos mécaniques
Des manèges électriques
Un jour à la fête de Saint-Cloud

Dans un tir je vois un grand type
Avec toute une équipe
Pan, l'œuf et pan, la pipe
Et la fille faisait mouche à tout coup
Tout autour on s'marrait
Et comme j'étais tout près
Il m'a offert du nougat, du surpain
Du premier coup on était deux copains

Refrain

Y'avait du soleil ce jour-là
Je revois tout ça, c'est loin déjà
Mais ça me tourne encore la tête
Il riait même sortant de la fête
Un p'tit porto, deux doigts d'écho
Demain on se reverra coco...
Je voulais pas tomber dans ses bras
Oui, mais voilà...
Y'avait du soleil ce jour-là...

2

Je revois nos balades de première
Sur sa moto pépère
Lui devant, moi derrière
Comme ça gazait la joie au cœur
Surtout notre premier dimanche
Arrêtés sous les branches
Il avait carte blanche
Pour me donner tous les bonheurs
Le plafond c'était le ciel
Alors, tout naturel'
Dans l'herbe tendre on a cueilli d'abord
Des fleurs, et puis l'amour encore, encore...

Refrain

Y'avait du soleil ce jour-là
Et les lilas, je revois tout ça
Comme il riait sur l'herbe épaisse

Même son rire c'était une caresse
Ça chantait partout dans les nids
Moi je soupirais : « C'est le paradis
Dis-moi que jamais on ne se quittera...
Tant que tu voudras... »
Y'avait du soleil ce jour-là...

La-la-la...
Dis-moi que jamais on ne se quittera...
Tant que tu voudras...
Y'avait du soleil ce jour-là...

Il n'est pas distingué

Paroles de M. Hély   *Musique de Paul Maye*

Zidor qu'on s'arrache à la ronde
C'est un titi sans instruction
Mais qui fait fureur dans le grand monde
C'est un as de l'accordéon
Entre deux javas populaires
Les marquises, les baronnes, s'inquiètent tour à tour
De ses idées particulières
Ses pensées sur la femme et ses vues sur l'amour
Zidor n'emploie pas les mots sophistiqués
Mais leur dit : « J'vais vous expliquer :
L'amour c'est rudement compliqué
Y'a rien comme les gonzesses
Pour vous l'faire rechiquer
Un coup d'chance on a fabriqué
Un rancart et l'on a l'palpitant culbuté
Moi j'ai les pieds plats pour douiller
Et quand une poule se gourre
Que j'vas les envoyer...
J'y refile en poire "va te laver"
J'renkiff mon benard et j'resbigne en louss'dé »
Il n'est pas distingué...

Quelqu'un lui d'mande : « Pardon si j'ose
Solliciter un autre avis,
Vous amusâtes-vous la même chose
Avec Topaze qu'avec Fanny ?
Vous réjouissez-vous davantage
Avec Paganini qu'avec Nina Rosa ? »
« Ah bah ! » fait Zidor « C'est dommage
Mais j'vous jure que j'connais pas toutes

[ces gonzesses-là »

Quand il s'aperçut qu'il avait détonné
Il reprit sans plus s'extasier :
« L'théâtre c'est bon pour les nichés
L'musical c'est pas mal, mais j'préfère le ciné
J'aime mieux voir la bouille à Bouboule
Qu'une vieille poule qui s'écroule
Et qu'y faut faire étayer
J' regrette pas mes trois larantquès
Quand j'vois Liliane Harvey et Garat s'embrasser
Et l'soir j'm'endors dans mon pucier
En rêvant que Marlène m'a pris comme régulier »
Il n'est pas distingué !

Sur le gâchis diplomatique
On daigne l'interviewer aussi
Mais Zidor devient pathétique
Quand Hitler est sur le tapis.
Quelqu'un fait : « C'est l'type spécifique
D'l'histrion désaxé au faciès hilarant
Mégalomane pathologique, indiscutablement
Un rétro déficient… »
Au premier abord ça paraît compliqué
Mais Zidor vient tout expliquer :
« D'abord y a qu'à pas s' dégonfler
Moi, Hitler, j'l'ai dans l'blerre
Et j'peux pas le renifler
Les nazis ont l'air d'oublier
Qu'c'est nous dans la bagarre
Qu'on les a dérouillés…
Moi si j'le poissais à jacter
J'y ferais : Marr' de bobards

Y faut les envoyer
Si t'es nazi, va t'faire piquoûzer
Et pis j'y balancerais ma godasse dans l'fouign'dé »
Il n'est pas distingué.

Ding Din Dong

Paroles de R. Asso   *Musique de P. Dreyfus*

Quand il naquit son père sa mère
Depuis longtemps ne s'aimaient plus
Ça fait qu'il arriva sur terre
Un peu comme un enfant perdu
Quand on est môme ça vous dégoûte
De ne jamais rire de tout son cœur
Alors très jeune il prit la route
Et s'enfuit chercher le bonheur

Refrain

Ding Din Dong chantons sa plainte
Ding Din Dong chantons-la donc

Il chercha dans la solitude
Il chercha aussi dans le bruit
De chercher ayant l'habitude
Quand il le trouva, il s'enfuit
Puis il aima, elle était blonde
Elle l'aimait bien oui mais voilà
Elle se donnait à tout le monde
Il la battit puis s'en alla   *(Au refrain)*

Il se dit les blondes sont volages
Mais les cheveux noirs c'est plus sérieux
Il prit une brune, promit mariage
Pensant qu'cette fois il s'rait heureux
Au bout de cinq à six semaines
Elle s'ennuyait à la maison
Vraiment, dit-il, je n'ai pas d'veine
Elle a pourtant pas les ch'veux blonds   *(Au refrain)*

Il ne savait pas que les femmes
Ça n'aime pas l'bonheur quotidien
Et l'pauvre garçon s'torturait l'âme
Mais j'l'aime... mon Dieu... Ah que j'l'aime bien
Et mordu par la jalousie
Y n'savait plus que s'lamenter
On va m'la prendre elle est jolie
Alors il voulut la tuer   *(Au refrain)*

Mais elle était vraiment fidèle
Il l'aimait tant qu'il préféra
Se faire sauter la cervelle
Il en mourut et puis voilà
Si cette histoire vous fait rire
C'est que vous n'avez rien compris
Il cherchait le bonheur, le pire
Est qu'il trouva la mort, tant pis...

Ding Din Dong finit sa plainte
Ding Din Dong et Ding et Dong

C'est toi le plus fort

Paroles de R. Asso   *Musique de R. Cloërec*

Ah c'que t'es grand
T'as une belle gueule
Et quand ton rire m'a croché le cœur
Parc' que j'suis v'nue vers toi toute seule
Sans que tu m'cherches
Tu fais le crâneur
Et sur le boulevard
Quand tu te balades
Tu marches comme un bel animal
Tu regardes les femmes
Ça m'rend malade
Et tu le sais bien
Qu'ça m'fait du mal

Mais j'te dis rien
Parce que je t'aime
Souffrir par toi
C'est bon tout d'même
Tu pourrais m'faire
Plus de mal encore
Que j'dirais rien
Alors t'es fort

Parce que t'es grand
Moi toute petite
Et que tes poings
Ont l'air d'être lourds
J'dis toujours oui
Et t'en profites
Et j't'obéis
Tu gagnes toujours
Ah... t'es pas méchant
T'es un peu brute
C'est pas d'ta faute
Si t'es comm' ça
Et puis moi
J'aime pas les disputes
J'ai peur des coups
On s'refait pas
Alors j'dis rien
Parce que je t'aime
Et qu't'obéir
C'est bon tout d'même
Puis ça vaut mieux
Car j'aurais tort
Y'a qu'à nous voir
C'est toi le plus fort

Mais y'a des jours
Où t'es plus l'même
Quand t'as l'cafard
Ou des ennuis
Quand t'as besoin d'sentir
Qu'on t'aime

52

Et ces jours-là
Tu deviens tout petit
Alors j'te prends
Sur ma poitrine
J'écoute ton cœur
Et c'est très doux
J'deviens toute grande
Et j'te câline
J'suis presque heureuse
Et j'oublie tout
Là dans mes bras
T'oses plus rien dire
T'as sur les lèvres
Un beau sourire
Et comme un petit môme
Tu t'endors
Ben là... vraiment
C'est toi l'plus fort

Madeleine qui avait du cœur

Paroles de R. Asso   *Musique de M. d'Yresne*

Elle avait l'âme sereine
Et des anges la candeur
On l'appelait Madeleine
Elle avait beaucoup de cœur

Déjà le jour de sa naissance
Il pleuvait, le ciel était bas
Elle eut une bien triste enfance
Car ses parents ne l'aimaient pas

Elle priait avec innocence
Comme ayant l'air de s'excuser
Mon Dieu pardonnez notre enfance
Et ceux qui nous ont enfantés

Elle avait l'âme sereine
Et des anges la candeur
On l'appelait Madeleine
Elle avait beaucoup de cœur

En grandissant cette naïve
Sentit grandir son cœur aussi
Ce sont des choses qui arrivent
Un bon cœur n'est jamais petit

En grandissant cette naïve
Connut des tas, des tas d'amants
Ce sont des choses qui arrivent
Quand on a le cœur aussi grand

D'amour son âme était pleine
Elle était toute de candeur
On l'appelait Madeleine
Elle avait beaucoup de cœur

Elle était frêle et docile
Et ne savait rien refuser
Or elle avait le cœur fragile
Et le cœur s'use à trop aimer

Elle était frêle et docile
Et ne vivait que pour l'amour
Or ce grand cœur qu'était fragile
Il s'est arrêté pour toujours

Sonnez cloches Ding dong daine
Nuit du ciel fanent les fleurs
Elle est morte Madeleine
D'une maladie de cœur.

Les marins ça fait des voyages

Paroles de R. Asso   *Musique de Mitty Goldin*

1

Il m'avait dit seulement je t'aime
Et ces mots-là ça compte tout de même
On s'est aimé huit jours tout plein
Puis il m'a dit un beau matin
V'là que j'm'en vais n'aie pas trop d'peine
J'suis matelot faut qu'tu comprennes

Refrain

Les marins ça fait des voyages
On reste jamais pour bien longtemps
On part joyeux on revient content
Des fois bien sûr y'a les naufrages
Mais les retours c'est tout plaisir
Et nos amours peuvent pas mourir
On sait qu'on r'part on n'a pas l'cœur
De s'faire du mal à son bonheur
Faut pas pleurer! Aie du courage!
La mer est belle et puis dis-toi
Qu'on n'y peut rien ni toi ni moi
Et qu'les marins faut qu'ça voyage

2

J'l'ai vu partir sur son navire
Y m'faisait d'loin un beau sourire
Et d'un seul coup je n'l'ai plus vu
Et puis l'bateau a disparu
La mer chantait d'une voix câline
On a parlé comme deux copines

Refrain

Les marins ça fait des voyages
Ça reste jamais pour bien longtemps
S'il revient joyeux il repart content

Pour les aimer faut du courage
Mais les retours c'est tout plaisir
Et leurs amours peuvent pas mourir
Le voilà qui part mon pauvr' bonheur
Dessus la mer vogue mon cœur
Mais v'là qu'je pense qu'y'a des naufrages
Sois bonne la mer ne l'garde pas
Si tu veux bien on partagera
Comme les marins faut qu'ça voyage

3

J'l'ai attendu pendant des s'maines
Et puis maint'nant c'est plus la peine
Il m'a fait dire par ses amis
Qu'y r'viendrait plus qu'c'était fini
Il m'avait fait cadeau d'une bague
Je l'ai jetée au creux des vagues

Refrain

Les marins ça fait des voyages
On les espère pendant longtemps
Y'en a qui r'viennent de temps en temps
D'autres s'font crocher l'cœur au passage
Y'a plus d'retour y'a plus d'plaisir
Y'a plus d'amour y'a qu'à mourir
Celui qu'j'aimais y r'viendra pas
Et puis s'y r'vient il recommenc'ra
Car les marins faut qu'ça voyage
Ça court toujours vers d'autres bonheurs
Et ça nous laisse avec notre cœur
Notre cœur fané pour tout partage

Mon amant de la Coloniale

Paroles de R. Asso *Musique de Juel*

Il était fort et puis si tendre
Que dès notre première nuit
Je sentais que je ne pourrais plus me reprendre
Et pour toujours, j'étais à lui
Je voyais toutes les femmes lui sourire
Moi, je me cramponnais à son bras
Et je les regardais comme pour leur dire :
« Il est à moi, et je l'lâche pas ! »

C'était un gars de la Coloniale
Il avait là, partant du front
Et descendant jusqu'au menton
Une cicatrice en diagonale
Des cheveux noirs, des yeux si pâles
La peau brûlée par le soleil
J'en ai plus jamais vu de pareils
A mon amant de la Coloniale

Des fois quand il avait la fièvre
Il parlait trop et j'avais peur
Je mettais la main sur ses lèvres
Pour pas connaître le fond de son cœur
Car je sentais que dans son âme
Y'avait des larmes et du cafard
Longtemps j'ai cru que c'était une femme
Quand j'ai compris, c'était trop tard...

Lorsque j'ai connu ma rivale
Alors j'ai serré fort mes bras
Pour que cette grande garce de la Coloniale
Lui foute la paix et ne me le vole pas
Et lui, il m'avait dit : « Je reste »
Mais un beau jour, il est reparti
Vers ce pays que je déteste
Dont il rêvait souvent la nuit

C'était un gars de la Coloniale
Il portait là, partant du front
Et descendant jusqu'au menton
Une cicatrice en diagonale
Je reverrai plus ses beaux yeux pâles
Ses yeux qui n'ont pas leur pareil
Il est reparti vers son soleil
Mon bel amant de la Coloniale…

Celui qui ne savait pas pleurer

Paroles de H. Contet   *Musique de Ch. Normand*

C'est l'histoire d'un type moyen
Qui n'avait jamais pu pleurer
Il en avait pas les moyens
Pourtant il aurait bien aimé
Car de pleurer, ça vous soulage
Et ça vous met du baume dans l'cœur
Mais lui, il avait passé l'âge
D'apprendre le chagrin par cœur
Il essayait de se concentrer
Pour s'émouvoir à l'improviste
Mais non il savait pas pleurer
Et c'est ça qui le rendait triste
Pour se payer ce petit instant
Où l'on est vraiment malheureux
Y s'fabriquait des embêtements
Inventait des ennuis sérieux
Et pour ça il savait s'y prendre
A en juger par son passé
Il avait même tenté de se pendre
Preuve qu'il aimait pas rigoler
Quand s'présentait un beau malheur
Tout de suite il lui faisait du charme
Mais il avait beau s'crever l'cœur
Il pouvait pas trouver une larme
Ça lui a passé subitement

Rencontrant près d'une fontaine
Où se débarbouillait l'printemps
Une gosse qui avait de la peine
Dans son petit tablier de toile
Elle pleurait comme une enfant
Il a vu ses yeux pleins d'étoiles
Alors il en a fait autant
Un type comme ça, c'est pas commun
Car il était pas comme nous autres
Puisque, pour qu'il ait du chagrin
Il lui fallait l'chagrin des autres
La gosse était toute seule au monde
Tout' seule le jour, tout' seule la nuit
Et puis surtout, elle était blonde
Alors il l'a prise avec lui
Il est content puisque c'est elle
Qui lui a appris à pleurer
Mais la leçon était trop belle
La fille aussi... tout a raté
Il est devenu bien malheureux
Trompé plus qu'il ne le mérite
Et tous les jours, il pleure un peu
Maintenant qu'il sait, il en profite.

Le mauvais matelot

Paroles de R. Asso   *Musique de P. Dreyfus*

Dans le port de Marseille
Y'a un joli bateau
Dans le port de Marseille
Y'a un joli bateau
Dans l'vent sur l'eau
Dans la cale du navire
Loin du ciel tout au fond
Dans la cale du navire
Y'a un mauvais garçon
Oh oh oh tout près de l'eau oh oh

La fille du capitaine
Est descendue le voir
La fille du capitaine
Est descendue le voir
Comme il fait noir
Mon cœur a de la peine
Dis-moi joli garçon
Pourquoi chargé de chaînes
Es-tu là tout au fond
Oh oh oh si près de l'eau oh oh oh
Je suis fils de la terre
Mon père est laboureur
Je suis fils de la terre
Et la mer me fait peur
Oh oh oui bien peur
Je suis dans la Marine
Sans l'avoir demandé
Je suis dans la Marine
Et ne sais pas nager
Oh oh oh j'ai peur de l'eau oh oh
Je veux revoir ma mère
Et les beaux champs de blé
Je veux revoir ma mère
Et les beaux champs de blé
Blonds et dorés
Faites tomber mes chaînes
Je vous épouserai
Faites tomber mes chaînes
Je vous emmènerai
Oh oh oh bien loin de l'eau oh oh
Dans la cale du navire
Le capitaine en pleurs
Dans la cale du navire
Le capitaine en pleurs
Oh quel malheur
Il m'a volé ma fille
M'a déchiré le cœur
Il m'a volé ma fille
Et volé mon honneur
Oh oh oh, vilain matelot oh oh

Dans le port de Marseille
Y'a un joli bateau
Dans le port de Marseille
Y'a un joli bateau
Dansant sur l'eau
Y'a plus de capitaine
Le capitaine est mort
Trop grande fut sa peine
A sauté par-dessus bord
Oh oh il dort dans l'eau oh oh.

Mon légionnaire

Paroles de R. Asso   *Musique de M. Monnot*

Il avait de grands yeux très clairs
Où parfois passaient des éclairs
Comme au ciel passent des orages.
Il était plein de tatouages
Que j'ai jamais très bien compris,
Son cou portait : « pas vu, pas pris »
Sur son cœur on lisait : « personne »
Sur son bras droit un mot : « raisonne ».

Refrain

J'sais pas son nom, je n'sais rien d'lui
Il m'a aimée toute la nuit
Mon légionnaire !
Et me laissant à mon destin
Il est parti dans le matin
Plein de lumière !
Il était minc' il était beau,
Il sentait bon le sable chaud
Mon légionnaire !
Y'avait du soleil sur son front
Qui mettait dans ses cheveux blonds
De la lumière !

Bonheur perdu, bonheur enfui,
Toujours je pense à cette nuit,
Et l'envie de sa peau me ronge.
Parfois je pleure et puis je songe
Que lorsqu'il était sur mon cœur,
J'aurais dû crier mon bonheur...
Mais je n'ai rien osé lui dire.
J'avais peur de le voir sourire !   *(Au refrain)*

On l'a trouvé dans le désert,
Il avait ses beaux yeux ouverts,
Dans le ciel passaient des nuages.
Il a montré ses tatouages
En souriant et il a dit,
Montrant son cou : « pas vu, pas pris »
Montrant son cœur : « ici personne »
Il ne savait pas... Je lui pardonne.

Dernier refrain

J'rêvais pourtant que le destin
Me ramèn'rait un beau matin
Mon légionnaire !
Qu'on s'en irait seuls tous les deux
Dans quelque pays merveilleux
Plein de lumière !
Il était minc' il était beau,
On l'a mis sous le sable chaud
Mon légionnaire !
Y'avait du soleil sur son front
Qui mettait dans ses cheveux blonds
De la lumière !

Le fanion de la Légion

Paroles de R. Asso *Musique de M. Monnot*

1

Tout en bas, c'est le Bled immense
Que domine un petit fortin.
Sur la plaine, c'est le silence,
Et là-haut, dans le clair matin,
Une silhouette aux quatre vents jette
Les notes aiguës d'un clairon,
Mais, un coup de feu lui répond.

Refrain

Ah la la la La belle histoire,
Y'a trente gars dans le bastion,
Torse nu, rêvant de bagarres
Ils ont du vin dans leurs bidons,
Des vivres et des munitions.
Ah la la la La belle histoire,
Là-haut sur les murs du bastion,
Dans le soleil plane la gloire,
Et dans le vent claque un fanion,
C'est le fanion de la Légion !

2

Les « salopards » tiennent la plaine,
Là-haut dans le petit fortin
Depuis une longue semaine,
La mort en prend chaque matin ;
La soif et la fièvre
Dessèchent les lèvres,
A tous les appels de clairon,
C'est la mitraille qui répond.

Refrain

Ah la la la La belle histoire,
Ils restent vingt dans le bastion,

Le torse nu, couverts de gloire
Ils n'ont plus d'eau dans leurs bidons
Et presque plus de munitions.
Ah la la la La belle histoire,
Claquant au vent sur le bastion
Et troué comme une écumoire,
Il y a toujours le fanion,
Le beau fanion de la Légion !

3

Comme la nuit couvre la plaine
Les « salopards », vers le fortin
Se sont glissés comme des hyènes
Ils ont lutté jusqu'au matin :
Hurlements de rage
Corps à corps sauvages,
Les chiens ont eu peur des lions.
Ils n'ont pas pris la position.

Refrain

Ah la la la La belle histoire,
Ils restent trois dans le bastion,
Le torse nu, couverts de gloire.
Sanglants, meurtris et en haillons,
Sans eau ni pain, ni munitions.
Ah la la la La belle histoire,
Ils sont toujours dans le bastion
Mais ne peuvent crier victoire :
On leur a volé le fanion,
Le beau fanion de la Légion !

1937

Le grand voyage du pauvre nègre

Paroles de R. Asso   *Musique de R. Cloërec*

1

Soleil de feu sur la mer Rouge
Pas une vague, rien ne bouge
Dessus la mer un vieux cargo
Qui s'en va jusqu'à Bornéo
Et dans la soute pleure un nègre
Un pauvre nègre, un nègre maigre
Un nègre maigre dont les os
Semblent vouloir trouer la peau.

Refrain

Oh yo... Oh yo...
Monsieur Bon Dieu c'est pas gentil
Moi pas vouloir quitter pays
Moi vouloir voir le grand bateau
Qui crach' du feu et march' sur l'eau
Et sur le pont moi j'ai dormi
Alors bateau il est parti
Et capitaine a dit comm' ça :
« Nègre au charbon il travaill'ra »
Monsieur Bon Dieu c'est pas gentil
Moi pas vouloir quitter pays.
Oh yo... Oh yo...

2

Toujours plus loin autour du monde
Le vieux cargo poursuit sa ronde.
Le monde est grand... Toujours des ports...

Toujours plus loin... Encor des ports...
Et dans la soute pleure un nègre,
Un pauvre nègre, un nègre maigre,
Un nègre maigre dont les os
Semblent vouloir trouer la peau.

Refrain

Oh yo... Oh yo...
Monsieur Bon Dieu, c'est pas gentil,
Y'en a maint'nant perdu pays.
Pays à moi, très loin sur l'eau
Et moi travaille au fond bateau ;
Toujours ici comm' dans l'enfer,
Jamais plus voir danser la mer,
Jamais plus voir grand ciel tout bleu,
Et pauvre nègre malheureux.
Monsieur Bon Dieu, c'est pas gentil,
Moi pas vouloir quitter pays.
Oh yo... Oh yo...

3

Au bout du ciel, sur la mer calme,
Dans la nuit claire, il voit des palmes,
Alors il crie : « C'est mon pays ! »
Et dans la mer il a bondi.
Et dans la vague chante un nègre,
Un pauvre nègre, un nègre maigre,
Un nègre maigre dont les os
Semblent vouloir trouer la peau.

Refrain

Oh yo... Oh yo...
Monsieur Bon Dieu, toi bien gentil,
Ramener moi dans mon pays.
Mais viens Bon Dieu... Viens mon secours,
Moi pas pouvoir nager toujours.
Pays trop loin pour arriver
Et pauvre nègre fatigué.

Ça y'est... Fini!... Monsieur Bon Dieu!...
Adieu pays... Tout l'monde adieu...
Monsieur Bon Dieu, c'est pas gentil,
Moi pas vouloir quitter pays.
Oh yo... Oh yo...

Un jeune homme chantait

Paroles de R. Asso   *Musique de L. Poll*

1

Sur la route, la grand'route
Un jeune homme va chantant
Sur la route, la grand'route
Une fille va rêvant
Une fleur à son corsage
Et des yeux pleins de douceur
Une fleur à son corsage
Et des rêves plein le cœur.

Refrain

Un jeune homme chantait
Ha ha ha ha ha ha
Une fille rêvait
Hum hum hum...

2

Sur la route, la grand'route
Quand ils se sont aperçus,
Sur la route, la grand'route
L'un vers l'autre ils ont couru
Dans ses bras il l'a tenue,
Il a dit : « Que tu me plais. »
Dans ses bras il l'a tenue,
Elle a dit : « Je t'espérais. »   *(au 1ᵉʳ refrain)*

3

Il a défait son corsage
Puis a dit : «Je suis heureux.»
Il a défait son corsage,
Elle a dit : «Toujours… Nous deux.»
Tandis qu'au loin sur la route
Un jeune homme va chantant.
Sur le bord de la grand'route
Une fleur meurt doucement.

3e refrain

Un jeune homme chantait
Ha ha ha ha ha ha
Une fille pleurait
(Bouche fermée) Hm

1938

Browning

Paroles de R. Asso   *Musique de J. Villard (Gilles)*

1

Y'avait qu'à r'garder sa figure
Et tout de suite on comprenait
Monsieur Browning qu'on l'appelait
Un nom qui sentait l'aventure
C'était le roi du revolver
Il en avait de magnifiques
Qu'il avait ram'nés d'Amérique
Où qu'on fabriqu' les vrais gangsters
Il nous racontait son histoire
Son premier crim' et puis la gloire
Browning Browning
Il nous montrait des tas d'photos
Pris's en premièr' pag' des journaux
Browning Browning
Il nous disait: «Vous autr's en France
Vous manquez encor' d'expérience»
Browning Browning
Avec ça pas besoin d'êtr' fort
C'est l'maladroit qu'a toujours tort
Et viv' Browning

2

Parc' qu'il avait de l'élégance
Et des costum's de cinéma
Il nous r'gardait de haut en bas
Avec mépris et insolence
Et tout's nos femm's ell's l'admiraient
«Ah! comment c'est qu'il a d'allure

Et ce typ' là quelle envergure»
Mais nous les homm's il nous courait
C'était toujours la mêm' histoire
Son premier crim' et puis la gloire
Browning Browning
On l'voyait sur les grands journaux
Juste à côté d'Greta Garbo
Browning Browning
A l'écouter on d'venait bête
On n'avait plus qu'ça dans la tête
Browning Browning
Et nous pensions «Marre à la fin
Il nous ennuie l'Américain
Et son Browning»

3

Pour nous apprendr' la vraie manière
Pour nous donner un' bonn' leçon
Il a tenu ce brav' garçon
A nous montrer son savoir-faire
C'est dans un' sall' de restaurant
Qu'il a voulu fair' l'expérience
Mais le pauvr' typ' n'a pas eu d'chance,
Comme il sortait ses instruments
Il a roulé sous la banquette
Avec un p'tit trou dans la tête
Browning Browning
Oh ça n'a pas claqué bien fort
Mais tout de mêm'il en est mort
Browning Browning
Et puis quelqu'un dans le silence
A dit «Maint'nant à quoi qu'tu penses
Browning Browning»
Il pens' plus rien puisqu'il est mort
Tu parlais trop... ben t'as eu tort
Bye-Bye, Browning.

C'est lui que mon cœur a choisi

Paroles de R. Asso   *Musique de M. d'Yresne*

1

Je m'rappell' plus comment on s'était rencontrés
Je n'sais plus si c'est lui qui a parlé l'premier
Ou bien si c'était moi qu'avais fait les avances
Ça n'a pas d'importance
Tout c'que j'veux me rapp'ler :

Refrain

C'est lui qu'mon cœur a choisi
Et quand y m'tient contre lui
Dans ses yeux caressants
Je vois l'ciel qui fout l'camp
C'est beau c'est épatant
Il a pas besoin d'parler
Il a qu'à m'regarder
Et j'suis à sa merci
Je n'peux rien contre lui
Car mon cœur l'a choisi

2

Je n'sais pas s'il est riche ou s'il a des défauts,
Mais d'l'aimer comm' je l'aime, un homme
                                   [est toujours beau.
Et quand on va danser, qu'il pose sur mes hanches
Ses belles mains si blanches,
Ça m'fait froid dans le dos.   *(Au refrain)*

3

J'sais pas c'qui m'arriv'ra, si ça dur'ra longtemps,
Mais j'me fich' du plus tard, j'veux penser
                                   [qu'au présent.
En tout cas il m'a dit qu'il m'aim'rait tout' la vie
C' que la vie s'ra jolie
Si il m'aim'... pour tout l'temps !

Corrèque et réguyer

Paroles de M. Hély   *Musique de P. Maye*

1

Le grand Totor qu'est en ménage avec Totoche
Qui la filoche
Et la défend
C'est pas un mec à la mie d'pain, poisse à la manque
Qui fait sa planque
Comme un feignant
Comme un chef d'administration
Il organise la production
Le nécessaire et l'superflu
Tout est réglé, tout est prévu
Pendant les heur's d'exploitation
C'est pas un homm' c'est un démon
Mais en dehors de ses fonctions
C'est pas un homme c'est un mouton.

Refrain

Après l'boulot si qu'elle veut faire des heures en plus
C'est son affaire et dans l'fond ça n'le r'garde plus
Comm' dit Totor, ça m'fait pas tort
Pour l'argent qu'ell' gagne au-dehors
On est d'accord comm' dit Totor
Faut pas s'conduire comme un butor
Comm' dit Totor j'y laisse le droit d'la dépenser
A volonté, d'la ramasser ou d'la placer
De s'tuyauter, d'boursicoter
D'ach'ter d'la rente ou du foncier
En suivant les cours financiers
Des charbonnages ou des aciers
J'ai pas l'droit d'y fourrer mon nez
CORRÈQUE... et RÉGUYER!

2

Pendant qu'les autres vont jouer l'pastis à la belote,
Avec les potes

Dans les bistros,
Totor contrôl' tout c'que la Totoche lui raconte
Et fait ses comptes
Dans son bureau
Pour le resquillage et l'boni
Avant qu'elle parle il a compris,
Y'a rien à chiquer avec lui,
C'est pas un homme, c'est un taxi.
A moins d'erreur ou d'omission,
A la première contestation,
La machine à coller des j'tons
Est prête pour la distribution.

Refrain

Dans les affair's, quand on s'laiss'faire, on est foutu,
Comm' dit Totor : Il faut d'abord, quand ça n'va plus,
Y aller d'autor et taper fort.
Mais un' fois qu'on a fait du sport,
Comm' dit Totor, ce s'rait un tort
Que de s'conduir' comme un butor.
Quand qu'c'est réglé, à quoi qu'ça sert d'êtr' rancunier,
Comm' dit Totor, un' fois qu'il a la main tournée,
Il lui coll' du taff'tas gommé
Et lui dit pour la consoler :
Blessée en servic' commandé,
C'est un accident du métier...
Demain, t'iras pas travailler.
CORRÈQUE ET RÉGUYER !

3

Et malgré ça y a des jours où qu' la môm' Totoche
Fait sa caboche
Et r'prend l'dessus,
Ça fait qu'un soir a s'est fait voir avec Tatave,
Et c'qu'est l'plus grave,
Totor l'a su !
Comm' dit Totor, qu'on soy' bourgeois,
Barbeau, prince ou n'importe quoi,
Chacun son bien, chacun son dû,

73

Sans ça la morale est foutue,
C'qui fait qu'en sortant du restaur'
Tatav' s'est trouvé d'vant Totor,
Qui y'a dit, les yeux dans les yeux :
On va régler ça tous les deux.

Refrain

Dans les affair's, quand on s'laiss' faire, on est foutu,
Mais l'môm' Tatav' y'a dit : Totor, j'te comprends pus,
J'te jure, Totor, t'es dans ton tort,
Avec la môm' j'ai pas d'remords
On est d'accord, et quand a sort,
J'y r'fil' cent ball's dans l'collidor,
Alors Totor y a dit : j'ai rien à te r'procher,
Tu vois, mon pot', si tu m'avais pas renseigné,
On s'rait en train d's'entrelarder,
Mais moi, j'pouvais pas l'deviner
Vu qu'a m'a jamais rien donné,
Final'ment tu peux t'en aller,
Mais c'est ell' qui va dérouiller.
CORRÈQUE ET RÉGUYER !

Paris-Méditerranée

Paroles de R. Asso   *Musique de R. Cloërec*

C'est une aventure bizarre,
Comme le train quittait la gare
L'homme a bondi dans le couloir
Et le front contre la portière
Il regardait fuir la lumière
De Paris mourant dans le soir.
Un train dans la nuit vous emporte,
Derrière soi, des amours mortes,
Mais l'on voudrait aimer encor.
La banlieue triste qui s'ennuie
Défilait morne sous la pluie…
Il regardait toujours dehors.

74

Le train roulait dans la nuit sombre,
L'homme déjà n'était qu'une ombre,
Et d'être seule j'avais froid.
S'il a parlé... qu'a-t-il pu dire?...
Je ne revois que son sourire
Quand il vint s'asseoir près de moi.
Un train dans la nuit vous emporte,
Derrière soi, des amours mortes,
Et dans le cœur un vague ennui.
Alors sa main a pris la mienne,
Et j'avais peur que le jour vienne...
J'étais si bien tout contre lui.

Lorsque je me suis éveillée
Dans une gare ensoleillée
L'inconnu sautait sur le quai.
Alors des hommes l'entourèrent
Et tête basse ils l'emmenèrent
Tandis que le train repartait.
J'ai regardé par la portière,
Comme en un geste de prière
L'homme vers moi tendait les mains
Le soleil redoublait ma peine
Et faisait miroiter des chaînes...
C'était peut-être un assassin.

Il y a des gens bizarres
Dans les trains et dans les gares.

Le Chacal

Paroles de R. Asso et Ch. Seider   *Musique de Juel*

1

On l'avait surnommé l'Chacal
C'était un type phénoménal
Un grand, aux épaul's magnifiques

75

L'air d'un sauvage, un peu crâneur
Il avait décroché mon cœur
Comm' ça d'un sourire ironique
Le soir, à l'heure de l'apéro
Il s'amenait dans notr' bistro
Toujours tout seul, sans un copain
En fredonnant un drôle de r'frain.

Refrain

Pan Pan l'Arbi... C'est l'Chacal qu'est par ici
Y s'mettait au bout du comptoir
Le r'gard lointain comm' sans rien voir
J'attendais toujours qu'il me cause
Qu'y r'mue un peu qu'y fasse quéqu'chose
Mais il restait indifférent
Et sifflotait entre ses dents :
Pan Pan l'Arbi... C'est l'Chacal qu'est par ici.

2

Personn' connaissait son boulot,
Et on parlait derrièr' son dos,
On disait : « Qu'est c'qu'y manigance ? »
Les homm's le r'gardaient par en d'ssous,
Les femm's lui faisaient les yeux doux
Parfois y'avait de grands silences,
La peur montait dans les cerveaux
« C'est p't'être un flic, ce gars costaud ? »
Mais lui souriait avec dédain
Et leur crachait toujours son r'frain.

Refrain

Pan Pan l'Arbi,
C'est l'Chacal qu'est par ici.
Les mains dans les poch's du veston
Y' semblait dir' : « Venez-y donc ! »
J'attendais toujours qu'il leur cause,
Qu'y r'mue un peu, qu'y fass' quéqu'chose.
Mais il restait indifférent

Et sifflotait entre ses dents :
Pan Pan l'Arbi,
C'est l'Chacal qu'est par ici.

3

Et puis un soir qu'il f'sait très chaud,
Qu'les nerfs étaient à fleur de peau
Et qu'ça sentait partout l'orage
Comme il gueulait son sacré r'frain
Un homm' sur lui leva la main,
Alors il bondit pris de rage.
Il s'est battu sans dire un mot
Mais eux les lâch's, ils étaient trop...
Et tout d'un coup, j'l'ai vu tomber...
Alors seul'ment il m'a parlé :

Refrain

Pan Pan l'Arbi,
Les salauds qu'est c'qu'ils m'ont mis
Et puis il a fermé ses yeux
En soupirant : Ça vaut p't'êtr' mieux
Moi, j'avais froid, comm' de la fièvre,
Mais j'ai voulu goûter ses lèvres
Au moins un' fois, car je l'aimais !
On a jamais su c'qu'il cherchait
Pan Pan l'Arbi,
Plus d'Chacal... C'était fini...

1939

Le petit monsieur triste

Paroles de R. Asso
Musique de M. Monnot

1

Le petit monsieur triste
Qui ne sort que la nuit
A de très gros ennuis
Mais c'est un égoïste
Il les garde pour lui
Et tous les gros ennuis
Du petit monsieur triste
Le suivent dans la nuit
Courent derrière lui
Galopent sur la piste
Du petit monsieur triste
Qui a des tas d'ennuis.

2

Le petit monsieur triste
A beaucoup de chagrin
Sa femme aimait Chopin
Lui n'était pas pianiste
Et le regrettait bien.
Or, sa femme, un matin,
Suivit un grand pianiste
Qui jouait du Chopin
Pour faire du chagrin
Au petit monsieur triste
Qui n'était pas pianiste
Et le regrettait bien.

3

Alors mélancolique
Et le cœur tout meurtri
Il ramena chez lui
Un piano mécanique
Pour calmer ses ennuis.
Et puis il revendit
Cette boîte à musique
Qui faisait trop de bruit
Et jouait dans la nuit
Comme une mécanique
Des airs mélancoliques
Qui doublaient ses ennuis.

4

Le petit monsieur triste
Qui ne sort que la nuit
Car le sommeil le fuit
Boit seul en égoïste
Pour noyer ses ennuis
Il boit toute la nuit,
Le petit monsieur triste,
Puis il rentre chez lui
Et seul dans son grand lit
Le petit monsieur triste
Rêve qu'il est pianiste
Et qu'il n'a plus d'ennuis.

Il rêve d'un joli piano
Sur lequel il ferait des gammes,
De belles gammes pour sa femme :
Do Ré Mi Fa Sol La Si Do.
Dodo.

Elle fréquentait la rue Pigalle

Paroles de R. Asso *Musique de L. Maitrier*

1

Ell' fréquentait la rue Pigalle
Ell' sentait l'vice à bon marché
Elle était tout' noire de péchés
Avec un pauvr' visage tout pâle
Pourtant y'avait dans l'fond d'ses yeux
Comm' quequ' chos' de miraculeux
Qui semblait mettre un peu d'ciel bleu
Dans celui tout sale de Pigalle.

2

Il lui avait dit : « Vous êt's belle. »
Et d'habitud', dans c'quartier-là,
On dit jamais les chos's comm' ça
Aux fill's qui font l'mêm' métier qu'elle ;
Et comme ell' voulait s'confesser,
Il la couvrait tout' de baisers,
En lui disant : « Laiss' ton passé,
Moi, j'vois qu'un' chos', c'est qu' tu es belle. »

3

Y'a des imag's qui vous tracassent ;
Et quand ell' sortait avec lui,
Depuis Barbès jusqu'à Clichy
Son passé lui f'sait la grimace.
Et sur les trottoirs pleins d'souv'nirs,
Ell' voyait son amour s'flétrir,
Alors, ell' lui d'manda d'partir,
Et il l'emm'na vers Montparnasse.

4

Ell' croyait r'commencer sa vie,
Mais c'est lui qui s'mit à changer,
Il la r'gardait tout étonné,

81

Disant : «J'te croyais plus jolie,
Ici, le jour t'éclair' de trop,
On voit tes vic's à fleur de peau,
Vaudrait p't'êtr' mieux qu' tu r'tourn's là-haut
Et qu'on reprenn' chacun sa vie.»

5

Elle est r'tourné' dans son Pigalle,
Y'a plus personn' pour la r'pêcher,
Elle a r'trouvé tous ses péchés,
Ses coins d'ombre et ses trottoirs sales.
Mais quand ell' voit des amoureux
Qui r'mont'nt la rue d'un air joyeux,
Y'a des larm's dans ses grands yeux bleus
Qui coul'nt le long d'ses jou's tout's pâles.

Je n'en connais pas la fin

Paroles de R. Asso   *Musique de M. Monnot*

1

Depuis quelque temps l'on fredonne
Dans mon quartier une chanson
La musique en est monotone
Et les paroles sans façon
Ce n'est qu'une chanson des rues
dont on ne connaît pas l'auteur
Depuis que je l'ai entendue
Elle chante et danse dans mon cœur.

Refrain

Ha ha ha ha
Ô mon amour
Ha ha ha ha
A toi toujours
Ha ha ha ha
Dans tes grands yeux

Ha ha ha ha
Rien que nous deux.

2

Avec des mots naïfs et tendres
Elle raconte un grand amour,
Mais il m'a bien semblé comprendre
Que la femme souffrait un jour.
Si l'amant fut méchant pour elle,
Je veux en ignorer la fin,
Et pour que ma chanson soit belle
Je me contente du refrain.   *(Au refrain)*

3

Ils s'aimeront toute la vie,
Pour bien s'aimer, ce n'est pas long,
Que cette histoire est donc jolie,
Qu'elle est donc belle, ma chanson.
Il en est de plus poétiques
Je le sais bien, oui, mais voilà,
Pour moi, c'est la plus magnifique,
Car ma chanson ne finit pas.   *(Au refrain)*

© Beuscher, 1939.

1940

On danse sur ma chanson

Paroles de R. Asso   *Musique de L. Poll*

1

J'ai voulu finir la chanson
Qu'au printemps j'avais commencée
Mais tu n'es plus à la maison
Et les fleurs sont tout's fanées
J'aurais dû chanter comm' les poètes
Avec de grands mots notre bel amour
Mais je n'ai pas su, ma chanson est faite
De tout petits mots, ceux de tous les jours.

J'ai pris tout ce que tu disais
Amour, serment, toujours, jamais
Tendresse
Sur la splendeur de nos matins
Et sur la douceur de tes mains
Caresses
J'ai construit de beaux souvenirs
Avec le goût de mes désirs
Quand fière de ton sourire vainqueur
Et ton regard un peu moqueur
Quand tu posais là sur mon cœur
Tes lèvres.

2

Oui, j'ai dû, sur un vieux piano
Chercher l'air que j'aimais entendre
Et qui pleurait comme un sanglot
Mais personne n'a dû comprendre
Car cette chanson que je croyais faite

Pour chanter l'amour qui fut si doux
Je l'entends partout comme un air de fête
Et les gens ont l'air de rire de nous.

Car sur les mots que tu disais
Amour, serment, toujours, jamais
On danse
Sur la splendeur de nos matins
Et sur la douceur de tes mains
On danse
Sur les plus jolis souvenirs
Et sur le goût de mon désir
On danse
Et sur ton sourire vainqueur
Sur ton regard un peu moqueur
Et sur la peine de mon cœur
On danse

Puisque sur l'air que j'aimais tant
Que tu chantais si tristement
On danse
Puisque personne n'a compris
Que sur les mots que tu m'as dit
On danse
C'est que cet amour si profond
Ne valait pas une chanson
Je pense
Alors j'ai voulu t'oublier
Quelqu'un m'a appris à danser
Et maintenant sur le passé
Je danse
Je danse

1941

Mon amour vient de finir

Paroles d'Edith Piaf   *Musique de M. Monnot*

Refrain

Mon amour vient de finir,
Mon amour vient de partir,
Je n'ai plus aucun désir,
Mon amour vient de mourir.

1

Je déambule dans la ville
Et je vois les gens qui défilent
Tout devient devant moi obscur
Et je marche en cognant les murs
Quelqu'un m'a traitée d'imbécile
En marchant d'un pas bien tranquille
Je ne veux pas rentrer chez moi
Mon cœur a trop peur d'avoir froid.

Refrain

Mon amour vient de finir,
Mon amour vient de partir,
Je n'ai plus aucun désir,
Mon amour vient de mourir.

2

Je vois les étoiles qui brillent,
Elles sont belles, elles scintillent,
Je voudrais bien être là-haut,
Ce doit être tellement beau.
Sur la terre les gens rigolent,

Ça me crispe et ça me rend folle,
Je sens mon cœur qui devient lourd,
C'est mon premier chagrin d'amour.

Refrain

Mon amour vient de finir,
Mon amour vient de partir,
Je n'ai plus aucun désir,
Mon amour... je vais mourir.

Le vagabond

Paroles d'Edith Piaf   Musique de Louiguy

1

J'ai l'air comm' ça d'un' fille de rien
Mais je suis un' personn' très bien
Je suis princesse d'un château
Où tout est clair, où tout est beau
Un grand jardin rempli de fleurs
Dans le ciel bleu plane mon cœur
Les fleurs aux arbres s'accrochant
Sont toujours blanches comme au printemps.

Refrain

Mais un vagabond
Qui est joli garçon
Me chante des chansons
Qui donnent le frisson
Il marche le long des routes
En se moquant du temps
Il chante pour qui l'écoute
Les cheveux dans le vent
C'est un vagabond
Qui est joli garçon
Il chante des chansons
La la la la...

2

Il m'a dit quitte ton château,
Contre mon cœur il fera chaud,
Je te donnerai de l'amour
Et nous nous aimerons toujours.
S'il n'était pas prince d'argent,
Il était mon prince charmant,
Comm' je suis un' jeune fill' très bien,
J'peux pas d'venir un' fill' de rien.

Refrain

C'est un vagabond
Qui est joli garçon,
Il chante des chansons
Qui donnent le frisson
Il marche le long des routes
En se moquant du temps,
Il chante pour qui l'écoute
Les cheveux dans le vent
C'est un vagabond
Qui est joli garçon
Il chante des chansons.
La la la la la la la la !

3

Mais mon histoire n'est pas vraie.
Ce n'est qu'un rêve que j'ai fait,
Et quand je me suis réveillée
L'soleil était sur l'oreiller.
Et chaque soir quand je m'endors,
Je cherche en vain mon rêve d'or,
Cett' fois je quitt'rai mon château
Pour suivre mon prince si beau.

Refrain

C'est un vagabond
Qui est joli garçon,
Il chante des chansons

Qui donnent le frisson.
Et je me vois sur la route
En me moquant du temps,
Et c'est mon cœur qu'il écoute
Notre amour dans le vent.
Nous somm's vagabonds
Nous chantons des chansons,
Moi j'ai des frissons.
La la la la la la la la !

C'est un Monsieur très distingué

Paroles d'Edith Piaf   *Musique de Louiguy*

1

Il descend dans les grands hôtels
Il a beaucoup de personnel
Il a aussi beaucoup d'argent
C'est pour ça qu'il est mon amant.

Refrain

C'est un Monsieur très distingué
C'est un Monsieur qui est marié
Ses enfants seront bien él'vés
Sa femme est née dans le grand monde
C'est un Monsieur très demandé
Tous les gens l'écoutent parler
Il est de la haute société
C'est c'qu'on appell' un homme du monde.

2

Il a aussi un petit chien,
On dit qu'il fait beaucoup de bien,
Sa femme, moi et puis le chien,
Nous faisons partie de ses biens.

90

C'est un Monsieur très distingué,
C'est un Monsieur qui est marié,
Ses enfants seront très bien él'vés,
Comme il se doit, je n'suis pas blonde.
Je n'suis pas née dans le grand monde.
Ce Monsieur-là peut tout ach'ter,
Même l'illusion d'être aimé,
Il est de la haute société
C'est c'qu'on appelle un homm' du monde.

3

Je sais pourtant qu'un jour viendra,
Où doucement, il me dira
«Chère amie, je suis désolé,
Nos relations doivent cesser.»

Refrain

C'est un Monsieur très distingué,
C'est un Monsieur qui est marié,
Ses enfants seront très bien él'vés,
Comme il se doit, sa femme est blonde.
Sa femme est née dans le grand monde.
Je resterai seule à pleurer
Mon amour sera bien payé,
C'est comm' ça dans la haut' société,
C'est c'qu'on appelle les gens du monde.

© Beuscher, 1941.

Où sont-ils tous mes copains

Paroles d'Edith Piaf   *Musique de M. Monnot*

Refrain

Où sont-ils tous mes copains
Qui sont partis un matin
Faire la guerre

Où sont-ils tous mes p'tits gars
Qui chantaient : « On en r'viendra
Faut pas s'en faire ».
Les tambours et les clairons
Accompagnaient leur chanson
Dans l'aube claire
Où sont-ils tous mes copains
Qui sont partis un matin
Faire la guerre.

1

Je connaissais des p'tits gars de Saint-Cloud
Je connaissais des gars de la Villette
Je connaissais des gars d'un peu partout
Pas un de ceux-là n'a fait la mauvaise tête
Y'en avait d'Ménilmontant
Y'en avait des gars d'vingt ans
Tous ont répondu : Présent !
Et sont partis en chantant...

2

Je connaissais un p'tit gars de Saint-Cloud,
Ses yeux rieurs m'avaient tourné la tête,
Il était grand et me plaisait beaucoup,
Quand je l'ai connu, pour moi ce fut ma fête.
Comm' les gars d'Ménilmontant,
Il a répondu : Présent,
Lui aussi avait vingt ans,
Il est parti en chantant :

Refrain

Où est-il mon p'tit copain,
Qui est parti un matin
Faire la guerre.
C'était un gentil p'tit gars,
Qui chantait « On en r'viendra,
Faut pas s'en faire. »
Les tambours et les clairons

Accompagnaient sa chanson
Dans l'aube claire.
Où est-il mon p'tit copain,
Qui est parti un matin
Faire la guerre.

3

Je sais qu'un jour les p'tits gars de Saint-Cloud,
Je sais qu'un jour les gars de la Villette,
Je sais qu'un jour les gars d'un peu partout,
Reviendront : Alors ce sera jour de fête.
Tous les gars d'Ménilmontant,
Ramèneront leurs vingt ans,
Tous ensembl' crieront : «Présent»
Et reviendront en chantant :

Refrain

Les voilà mes p'tits copains,
Qui sont partis un matin
Faire la guerre.
Les voilà tous ces p'tits gars
Qui chantaient : «On en r'viendra,
Faut pas s'en faire.»
On entendra les garçons
Chanter de belles chansons.
Tout sera clair,
Le voilà mon p'tit copain,
Qui est parti un matin
Faire la guerre.
(Coda) Le voilà ! Les voilà !

J'ai dansé avec l'amour

Paroles d'Edith Piaf   *Musique de M. Monnot*

Refrain

J'ai dansé avec l'amour
J'ai fait des tours et des tours
Ce fut un soir merveilleux
Je ne voyais que ses yeux si bleus
Ses cheveux couleur de blond
Lui et moi que c'était bon
L'amour avait dans ses yeux
Tant d'amour, tant d'amour
Tant d'amour, d'amour.

Couplet

Lui et moi contre lui
Au-dessus la nuit
Tournent dans le bruit
Moi n'osant pas parler
Le corps bousculé
J'étais admirée
Lui, la musique et lui
Partout l'amour, partout la fièvre
Et nos corps frissonnants
Moi, la musique et moi
Partout ses yeux, partout ses lèvres
Et puis mon cœur hurlant

Refrain

J'ai dansé avec l'amour
J'ai fait des tours et des tours
Ce fut un soir merveilleux
Je ne voyais que ses yeux si bleus
Ses cheveux couleur de blond
Lui et moi que c'était bon
L'amour avait dans ses yeux
Tant d'amour, tant d'amour
Tant d'amour, d'amour.

L'homme des bars

du film *Montmartre sur Seine*

Paroles d'Edith Piaf   *Musique de M. Monnot*

1

Dans un bar
Au comptoir
On peut apercevoir
Un garçon aux yeux couleur de suie
Il boit sans s'arrêter
Il boit pour oublier
Un mauvais tour que lui a joué la vie
Quand je viens près de lui
Tristement il sourit
Et doucement me dit :
« On s'est aimé pendant un an, foll'ment
Et puis on s'est quitté comm' ça... bêt'ment. »

2

Le cafard,
Le brouillard,
Sont aussi au comptoir
Pour pouvoir lui tenir compagnie.
Et quand vient le matin
Il emmène son chagrin,
C'est vraiment son seul copain dans la vie.
Puis quand revient le soir,
On le voit au comptoir
Racontant son histoire :
« On s'est aimé pendant un an, foll'ment
Et puis on s'est quitté comm' ça, bêt'ment. »

3

Au comptoir,
Un beau soir,
On vient d'apercevoir
Une fille aux yeux couleur de vie.
Ell' vient de s'approcher,

Ell' vient de lui parler,
Elle a une voix tendre, elle est jolie.
Et c'est un autre amour
Qui revient pour toujours,
Ils partent dans le jour.
Ils s'aimeront toute la vie, foll'ment.
Foll'ment.

1942

L'accordéoniste

Paroles et musique de Michel Emer

La fille de joie est belle
Au coin d' la rue là-bas
Elle a une clientèle
Qui lui remplit son bas
Quand son boulot s'achève
Elle s'en va à son tour
Chercher un peu de rêve
Dans un bal du faubourg
Son homme est un artiste
C'est un drôle de p'tit gars
Un accordéoniste
Qui sait jouer la java

Elle écoute la java
Mais elle ne la danse pas
Elle ne regarde même pas la piste
Et ses yeux amoureux
Suivent le jeu nerveux
Et les doigts secs et longs de l'artiste
Ça lui rentre dans la peau
Par le bas, par le haut
Elle a envie d' chanter
C'est physique
Tout son être est tendu
Son souffle est suspendu
C'est une vraie tordue de la musique

La fille de joie est triste
Au coin d' la rue là-bas
Son accordéoniste

Il est parti soldat
Quand y r'viendra d' la guerre
Ils prendront une maison
Elle sera la caissière
Et lui, sera le patron
Que la vie sera belle
Ils seront de vrais pachas
Et tous les soirs pour elle
Il jouera la java

Elle écoute la java
Qu'elle fredonne tout bas
Elle revoit son accordéoniste
Et ses yeux amoureux
Suivent le jeu nerveux
Et les doigts secs et longs de l'artiste
Ça lui rentre dans la peau
Par le bas, par le haut
Elle a envie de pleurer
C'est physique
Tout son être est tendu
Son souffle est suspendu
C'est une vraie tordue de la musique

La fille de joie est seule
Au coin d' la rue là-bas
Les filles qui font la gueule
Les hommes n'en veulent pas
Et tant pis si elle crève
Son homme ne reviendra plus
Adieux tous les beaux rêves
Sa vie, elle est foutue
Pourtant ses jambes tristes
L'emmènent au boui-boui
Où y'a un autre artiste
Qui joue toute la nuit

Elle écoute la java...
... elle entend la java
... elle a fermé les yeux

... et les doigts secs et nerveux...
Ça lui rentre dans la peau
Par le bas, par le haut
Elle a envie de gueuler
C'est physique
Alors pour oublier
Elle s'est mise à danser, à tourner
Au son de la musique...

...
ARRÊTEZ !
Arrêtez la musique !...

Jimmy c'est lui

Paroles de Kamke   *Musique de Wal-Berg*

Le ciel est blanc blanc
Et déserte l'immensité blanche
De neige blanche
Comme un point noir noir noir
Seul erre minuscule
Un nègre vêtu de noir
Et qui titube
Et se lamente

Jimmy mon ami
D'où es-tu oh oh oh
Tu es perdu Jimmy
Tu es perdu salaud
Le grand Jimmy gémit oh oh
La poudre blanche t'a brûlé les yeux Jimmy
T'as peur maintenant
Jimmy, tu te sauveras
Tout n'est que brouillard
Ah mais là-bas tiens tu vois
Tu vois près de toi

Ah ah s'approchant
Le soleil, les palmiers
L'oasis Takana

Jimmy mon ami
Tu chantes oh oh oh
Tu es heureux Jimmy
Tu es dans ton pays
Soleil oh oh te brûle Jimmy
Le délire est dans ton cerveau
Le noir est blanc vêtu de blanc
Et la neige met sa robe blanche
Comme la balance
Dans ce désert, désert
Seul, perdu, minuscule
Le nègre tout recouvert
Plus de murmure
Mais l'écho chante

Jimmy mon ami
Où es-tu oh oh
Tu t'es perdu Jimmy
Tu t'es perdu salaud
Le vent salaud
Le vent oh oh
La poudre blanche t'a fermé les yeux Jimmy
Tu dors maintenant
Jimmy qui te sauvera
Tout n'est que brouillard
Ah mais là-bas tiens tu vois
Tu vois près de toi
Ah ah s'approchant
Ton soleil, les palmiers
L'oasis Takana

Jimmy mon ami
Tu n'es plus ooh ooh
Tout est fini Jimmy
Le monde t'a trahi
Le monde salaud te laisse crever

Tu n'as plus qu'à foutre le camp
Là-haut

Un monsieur me suit dans la rue

Paroles de Jean-Paul Le Chanois   *Musique de Jacques Besse*

1

J'étais une petite fille
Du moins je le croyais
Portais des espadrilles
J'avais encor mes jouets
Mais un jour dans la rue
En sortant de l'école
Je vois un inconnu
Qui à mes pas se colle.

Refrain

Un monsieur me suit dans la rue
J'en avais rêvé bien souvent
Et fus d'avance tout émue
Qu'est-ce qui va s'passer maint'nant
Quand on m'a suivie dans la rue
J'pensais que ça s'rait épatant
Quand on m'a suivie dans la rue
Ce n'était qu'un vieux dégoûtant.

2

Le cœur a ses mystères
Je suis prise de passion
Pour un homme, un gangster
Qu'a d'la conversation
Et quand je vais chez lui
Il faut faire attention
Je sais qu'on le poursuit
Pour le mettre en prison.

101

Refrain

Voilà qu'on me suit dans la rue
Gros soulier qui marche en criant
Pourvu qu'on n'm'ait pas reconnue
J'ai peur que ce soit des agents
J'enfile des rues et des rues
Mon Dieu ça devient effrayant
On me suit toujours dans la rue
Ils approch'nt leurs mains en riant.

3

Je suis tombée malade
Dans un grand lit tout blanc
Le cœur en marmelade
Mon pauvre front brûlant
Un prêtre me demande :
« Voulez-vous le Bon Dieu ? »
Moi je préfère attendre
Des fois que j'irais mieux.

Refrain

Voilà qu'on me suit dans la rue
Les hommes saluent déférents
C'est pour moi j'l'aurais jamais cru
Que les femmes se signent en passant
Comme je passe à travers les rues
J'arrête la vie et le mouv'ment
Tout le monde me suit dans la rue
Tout en noir à mon enterr'ment.

1943

La demoiselle du 5ᵉ

Paroles de H. Contet   *Musique de Louiguy*

1

La demoiselle du cinquième étage
Nous chante à plein cœur qu'ell' va se marier
Paraît qu'ce s'ra un sacré mariage
Voilà c'qu'on entend à chaque palier.
C'est drôl' l'amour, comm' ça vous change
Ell' qui était si triste avant
Maint'nant elle a d'la joie d'rechange
Et des yeux clairs par tous les temps.
Alors ell' croit que la vie est belle
Et que les caresses ça pousse partout,
Que ses amours seront éternelles
Et qu'elle a le droit de rir' jusqu'au bout.

Refrain

Lui et moi, c'était pareil
Je croyais au Pèr' Noël
Je l'aimais à perdre haleine,
C'était pareil.

2

Bien entendu il y a eu maldonne
La bell' robe blanche est décommandée
Le gars prétend que la blague est bonne
Car il a tout pris sans rien lui donner.
L'amour, c'est comm' les ch'mises de soie :
Deux chos's qui s'achèt'nt au printemps
On fait un rendu pour la soie

103

Mais l'amour, c'est plus encombrant.
Alors la gosse, laissée pour compte,
Ell' passe des nuits, des nuits à pleurer
Et dans le jour voilà qu'ell' raconte
La pein' que ses nuits ont mis de côté.

Refrain

Lui et moi, c'était pareil
Je croyais au Pèr' Noël
Je l'aimais à perdre haleine,
C'était pareil.

3

La demoisell', qui avait tant d'peine,
C'était à prévoir, voulut se tuer.
Elle a voulu se j'ter dans la Seine
Voulu... ou du moins elle en a parlé.
Et puis elle a fait une affaire
Avec le rire d'un grand gars
Un jour il lui f'ra des misères
Mais ell' s'en fout, ell' n'y pens' pas.
Et la voilà, tiens, qui recommence
A chanter partout qu'ell' va se marier,
Crier de joie et pleurer d'avance
Voilà c'qu'on entend à chaque palier...

Refrain

Toi et moi, c'est tout pareil
Il faut croire au Pèr' Noël
Et je t'aime à perdre haleine,
C'est tout pareil.

© Beuscher, 1943.

Coup de grisou

Paroles de H. Contet   *Musique de Louiguy*

1

C'était un homm' sans condition
Un typ' qu'avait pas d'ambition
Pourtant, Bon Dieu ! qu'il était fort
Il n'avait pas d'situation
Et il travaillait au charbon
Dans les villes noires du Nord
On l'avait app'lé : « Coup d'grisou »
Un jour qu'il était en colère
Et qu'il avait mis sens d'ssus d'ssous
Tout un bistro avec les verres
A forc' de peiner dans le noir
Il n'aimait qu'la couleur du soir
Le soleil lui brûlait les yeux.

Le grand jour l'empêchait d'parler
C'était un dieu d'l'obscurité
Un dieu bien triste et malheureux
Un dieu bien triste et malheureux.

2

Car il aimait par-dessus tout
Un' fill' des plain's aux cheveux roux
Roux comm' les sarments des vignes
Des cheveux où la lumièr' pleut
Ça l'forçait à cligner des yeux
Comm' si l'soleil lui faisait sign'
Ell' l'emmenait dans les moissons
Par les frais chemins du dimanche
Tout était clair, tout était blond
Et la clarté prenait sa r'vanche
Ça lui f'sait mal derrièr' le front
Mais il faisait des concessions.
Dame, il essayait d'être heureux.

C'est comm' ça qu'on perd un amour
Ell' l'a trompé par un beau jour
Avec un qui aimait l'ciel bleu
Avec un qui aimait l'ciel bleu.

3

Quand «Coup d'grisou» a tout appris,
Il travaillait au fond du puits
Tout luisant de reflets tout noirs
Pendant dix s'cond's il n'a rien dit
Et puis d'un seul coup ça l'a pris,
Ah! c'était pas joli à voir,
Rien qu'à l'entendre on s'demandait
Si l'diable n'était pas sous terre.
Probabl' que ça lui ressemblait
Puisqu'il a tout foutu par terre.
Quand l'vrai grisou s'en est mêlé,
A eux deux, ils ont fait sauter
La terre, la mine et tout l'fourbi!
Après trois jours on l'a r'monté
Avec sa part d'éternité.
Et quand on l'a sorti du puits
La lumièr' se moquait de lui
Le soleil donnait un gala
Pour l'embêter un' dernièr' fois
Mais Coup d'grisou était guéri
Il avait épousé la nuit...

C'était une histoire d'amour

Paroles de H. Contet   *Musique de J. Jal*

1

J'ai connu des jours magnifiques,
L'amour était mon serviteur,
La vie chantait comme un' musique
Et elle m'offrait des tas d'bonheurs,

106

Moi j'en achetais sans compter,
J'avais mon cœur à dépenser.

Refrain

C'était une histoire d'amour,
C'était comme un beau jour de fête,
Plein de soleil et de guinguettes,
Où le printemps m'faisait la cour
Mais quand les histoir's sont trop jolies,
Ça ne peut pas durer toujours.
C'était une histoire d'amour
Ma part de joie, ma part de rêve,
Il a bien fallu qu'ell' s'achève
Pour me faire un chagrin d'amour.

2

Et tant pis si mes nuits sont blanches,
Tant pis pour moi si j'pleur' tout l'temps,
C'est le chagrin qui prend sa r'vanche,
Y'a qu'le chagrin qui est content,
Vraiment il y a de quoi rire,
J'ai l'impression d'vouloir mourir.

Refrain

C'était une histoire d'amour
C'était comme un beau jour de fête,
Plein de soleil et de guinguettes,
Où le printemps m'faisait la cour
Mais quand les histoir's sont trop jolies,
Ça ne peut pas durer toujours.
C'était une histoire d'amour
Dont rien désormais ne demeure,
Il faut toujours que quelqu'un pleure
Pour faire une histoire d'amour.

© Beuscher, 1943.

De l'autre côté de la rue

Paroles et musique de M. Emer

1

Des murs qui se lézardent
Un escalier étroit
Une vieille mansarde
Et me voilà chez moi
Un lit qui se gondole
Un' table de guingois
Une lampe à pétrole
Et me voilà chez moi
Mais le soir quand le cafard me pénètre
Et que mon cœur est par trop malheureux
J'écarte les rideaux de ma fenêtre
Et j'écarquille les yeux.

Refrain

D'l'autr' côté d'la rue
Y'a un' fille
Y'a un' bell' fille
Qui a tout c'qu'il lui faut
Et mêm' le superflu
D'l'autr' côté d'la rue
Elle a d'l'argent, un' maison, des voitures
Des draps en soie, des bijoux, des fourrures
D'l'autr' côté d'la rue
Y'a un' fille
Y'a un' bell' fille
Si j'en avais le quart je n'en d'mand'rais pas plus
D'l'autr' côté d'la rue.

2

Souvent l'âme chagrine
Quand je rentre chez moi,
Je vais courbant l'échine,
Il pleut ou il fait froid.
Faut monter sept étages

Suivre un long corridor,
Je n'ai plus de courage,
Je me couche et je dors
Et le lend'main faut que tout recommence,
J'pars au travail dans le matin glacé
Alors je m'dis y'en a qui ont trop d'chance
Et les autres pas assez.

Refrain

D'l'autr' côté d'la rue
Y'a un' fill'
Y'a un' bell' fille,
Pour qui tout's nos misèr's
S'ront toujours inconnues,
D'l'autr' côté d'la rue,
Quand il fait froid, ell' dans' des nuits entières,
Quand il fait chaud, ell' s'en va en croisière.
D'l'autr' côté d'la rue,
Y'a un' fill'
Y'a un' bell' fille
Vivre un seul jour sa vie je n'en d'mand'rais pas plus,
D'l'autr' côté d'la rue.

3

J'le connaissais à peine,
On s'était vu trois fois
Mais à la fin d'la s'maine
Il est venu chez moi,
Dans ma chambre au septième
Au bout du corridor,
Il murmura : « Je t'aime »
Moi j'ai dit : « Je t'adore »
Il m'a comblée de baisers, de caresses,
Je ne désire plus rien dans ses bras,
Je vois ses yeux tout remplis de tendresse,
Alors je me dis tout bas :

Refrain

D'l'autr' côté d'la rue
Y'a un' fill'
Y'a un' pauvr' fille,
Qui n'connaît rien d'l'amour,
Ni d'ses joies éperdues.
D'l'autr' côté d'la rue,
Ell' peut garder son monsieur qu'ell' déteste,
Ses beaux bijoux, tout son luxe et le reste.
D'l'autr' côté d'la rue,
Y'a un' fill'
Y'a un' pauvr' fille
Qui regarde souvent d'un air triste et perdu,
D'l'autr' côté d'la rue.

Monsieur Saint-Pierre

Paroles de H. Contet   *Musique de J. Hess*

1

Y'a pas à dire, j'aime bien la vie
Et un peu trop les beaux garçons
Moi, j'ai un cœur qui s'multiplie
Et ça m'fait de drôl's d'additions
Et j'arrive pas à avoir honte
J'suis tranquill'ment une fill' de rien
Mais quand faudra rendre des comptes
Je m'demand' si tout s'pass'ra bien
Et ça m'fait peur, car on m'a dit
Qu'on m'prendrait pas au paradis.

Refrain

Ô mon bon monsieur Saint-Pierre
Moi, j'vous cause à ma manière
Vous pouvez m'passer un savon
Et me traiter de tous les noms
Vous pouvez m'fair' perdre mon sac

Celui qu'j'ai volé rue du Bac
Mais retenez ma place au paradis
On m'a tell'ment dit que c'était joli
Regardez-moi bien
Je suis si pauvre
Regardez mes mains
Des mains de pauvre
Et regardez tous mes péchés
Et mon vieux cœur las de tricher
Y'a des tas d'noms écrits dessus
C'est pas d'ma faute ils m'ont tous plu
Ô mon bon monsieur Saint-Pierre
Je n'sais pas fair' de prière
Mais on dit qu'vous êtes si gentil
Ret'nez ma place au paradis.

2

Y'a pas à dir' j'aimais la vie,
Mais maint'nant ça m'avance à quoi,
Me v'là tout' froide et tout' raidie
Entre quatre planches de bois.
Vraiment mon âme n'est pas fière
Devant la porte de cristal
Où j'entrevois derrièr' Saint-Pierre
Une éternité d'idéal,
Je n'suis qu'une âm' de rien du tout,
Je n'sais mêm' pas me mettre à g'noux.

Refrain

Ô mon bon monsieur Saint-Pierre
Moi j'vous cause à ma manière,
Vous pouvez m'enl'ver mes désirs
Me priver de tous mes souv'nirs
Et mêm' me confisquer mon clip,
Celui qu'm'a payé l'beau Philippe,
Mais donnez-moi ma place au paradis,
On m'a tell'ment dit que c'était joli.
Regardez-moi bien
Je suis si pauvre,

Regardez mes mains,
Des mains de pauvre,
Et regardez tous mes péchés,
Et mon vieux cœur las de tricher,
De tous les noms écrits dessus
Y'en a plus qu'un, celui d'Jésus.
Ô mon bon monsieur Saint-Pierre
Je n'sais pas fair' de prière,
Alors mettons que j'n'ai rien dit,
Mais gardez-moi au paradis.

J'ai qu'à l'regarder...

Paroles d'Edith Piaf   *Musique de A. Siniavine*

1

Il a plutôt la gueule gentille
Y s'laisse aimer tout comm' les filles
Puis y vous r'garde en rigolant
Alors bien sûr c'est désarmant
Y vous donne rendez-vous un jour
S'il y v'nait ça s'rait trop facile
On attend comme une imbécile
Il est vraiment fait pour l'amour.

Refrain

J'ai qu'à l'regarder
J'ai envie d'chanter
D'courir dans les champs
Avec le printemps
De chanter pour moi
De crier ma joie
Dès que j'l'aperçois
Y m'regard' comm' ça
Puis y m'dit tout bas
«Viens on va s'aimer»
J'ose plus respirer

112

C'que c'est bon d'l'aimer
Tra la la la ...

2

Ça s'ra ma dernière aventure,
Oh! mon Dieu, pourvu qu'elle dure,
Si j'devais plus l'revoir un jour,
Je serais dégoûtée d'l'amour.
Il a tant d'femm's autour de lui,
Qui rôd'nt autour de ses épaules...
Alors j'suis là, j'm'accroche à lui,
Y'a vraiment qu'lui qui trouv' ça drôle.   *(Au refrain)*

Création André Claveau

1944

Les deux rengaines

Paroles de H. Contet   *Musique de H. Bourtayre*

1

Y a un refrain dans la ville,
Un refrain sans domicile.
Et c'est comme un fait exprès,
Un air qui me court après.
Il est fait de deux rengaines
Qui ont mélangé leur peine.
La première a du chagrin
Et la deuxième n'a rien.

Refrain

C'est un air, Ah! Ah! aussi triste que mon amour.
C'est un air, Ah! Ah! sans pitié qui me tourne autour.
D'un sixième étage,
Un phono s'enrage
A le rabâcher.
Et la farandole
Des mêmes paroles
Entre sans frapper.
C'est un air, Ah! Ah! qui se traîne dans les faubourgs.
C'est un air, Ah! Ah! aussi triste que mon amour.

2

Mais la première rengaine,
Qui avait tant de chagrin,
Un jour oublia ses peines,
Et ça fait qu'un beau matin
La chanson était moins triste.

115

Mon cœur n'en revenait pas.
Et mon voisin le pianiste
En a fait une java.

Refrain

C'est un air, Ah! Ah! qui me donne le mal d'amour.
C'est un air, Ah! Ah! sans pitié qui me tourne autour.
Le piano remplace
Le phono d'en face
Pour le rabâcher.
Et la farandole
Tourne, tourne et vole
Comme un vent d'été.
C'est un air, Ah! Ah! qui s'accroche sous l'abat-jour.
C'est un air, Ah! Ah! qui me donne le mal d'amour.

3

Puis la deuxième rengaine,
Qui n'avait que rien du tout,
Hérita un jour de veine
D'un bonheur de quatre sous.
Car le bonheur, ça existe,
C'est du travail à façon.
Alors nous deux mon pianiste,
On a refait la chanson.

Refrain

C'est un air, Ah! Ah! aussi beau que mon bel amour.
C'est un air, Ah! Ah! merveilleux qui me tourne autour.
Tous les pianos dansent,
Tous les phonos dansent.
Qu'il fait bon danser.
Et la farandole
Tourne, tourne et vole,
Tourne à tout casser.
C'est un air, Ah! Ah! qui s'envole vers le faubourg.
C'est un air, Ah! Ah! aussi beau que mon bel amour.

© Beuscher, 1944.

Y'a pas d'printemps

Paroles de H. Contet   *Musique de M. Monnot*

Jamais d'repos
Toujours courir
Métro, bureau
Et repartir
Quand vient le dimanche il faut faire ses affaires
Laver, repasser, repriser sa misère
Et c'est pareil
Jour après jour
Jamais d'soleil
Et pas d'amour.

Refrain

Y'a pas d'printemps le long d'ma vie
Je n'crois pas aux calendriers
J'ai beau fair' des économies
L'printemps je n'peux pas m'le payer
Le mois de Mai passe et m'oublie
Et le bonheur en fait autant
P't'êtr' que j'suis pas assez jolie
Mais dans ma vie y'a pas d'printemps.

2

Mais le destin m'a fait un' farce
Et l'vingt et un du mois de Mars
Quand le printemps chante à plein' voix sa naissance
Avec un beau gars m'a fait fair' connaissance
Il m'a dit : « Viens »
Il m'a souri
Et dans mon coin
Tout a fleuri.

Refrain

Y'a du printemps le long d' ma vie
Et j'me moque des calendriers
Car maintenant c'est d'la folie

117

J'en ai même au mois de janvier
J'ai plus besoin d'économies
Mon cœur et moi on est content
P't'êtr' que j'suis pas jolie, jolie
Mais dans ma vie y'a plein d'printemps.

1945

Les trois cloches

Créé avec Les Compagnons de la Chanson

Paroles et musique de Jean Villard

1

Village au fond de la vallée
Comme égaré, presqu'ignoré
Voici qu'en la nuit étoilée
Un nouveau-né nous est donné
Jean-François Nicot qu'il se nomme
Il est joufflu, tendre et rosé
À l'église, beau petit homme,
Demain tu seras baptisé...

Une cloche sonne, sonne
Sa voix d'écho en écho
Dit au monde qui s'étonne :
« C'est pour Jean-François Nicot »
C'est pour accueillir une âme
Une fleur qui s'ouvre au jour
A peine, à peine une flamme
Encore faible qui réclame
Protection, tendresse, amour...

2

Village au fond de la vallée
Loin des chemins, loin des humains
Voici qu'après dix-neuf années
Cœur en émoi, le Jean-François
Prend pour femme la douce Élise
Blanche comme fleur de pommier

Devant Dieu, dans la vieille église
Ce jour il se sont mariés...

Toutes les cloches sonnent, sonnent
Leurs voix d'écho en écho
Merveilleusement couronnent
La noce à François Nicot
« Un seul cœur, une seule âme,
Dit le prêtre, et pour toujours
Soyez une pure flamme
Qui s'élève et qui proclame
La grandeur de votre amour. »

3

Village au fond de la vallée
Des jours, des nuits, le temps a fui
Voici qu'en la nuit étoilée
Un cœur s'endort, François est mort...
Car toute chair est comme l'herbe
Elle est comme la fleur des champs
Épis, fruits mûrs, bouquets et gerbes,
Hélas vont en se desséchant...

Une cloche sonne, sonne
Elle chante dans la mort
Obsédante et monotone
Elle redit aux vivants :
« Ne tremblez pas cœurs fidèles
Dieu vous fera signe un jour
Vous trouverez sous son aile
Avec la Vie Éternelle
L'éternité de l'amour... »

La vie en rose

Paroles d'Edith Piaf   *Musique de Louiguy*

1

Des yeux qui font baisser les miens
Un rire qui se perd sur sa bouche
Voilà le portrait sans retouches
De l'homme auquel j'appartiens.

Refrain

Quand il me prend dans ses bras
Qu'il me parle tout bas
Je vois la vie en rose
Il me dit des mots d'amour
Des mots de tous les jours
Et ça me fait quelque chose
Il est entré dans mon cœur
Une part de bonheur
Dont je connais la cause
C'est lui pour moi, moi pour lui, dans la vie
Il me l'a dit, l'a juré, pour la vie
Et dès que je l'aperçois
Alors je sens en moi
Mon cœur qui bat.

2

Des nuits d'amour à plus finir
Un grand bonheur qui prend sa place
Les ennuis, les chagrins s'effacent
Heureux, heureux à en mourir.

Refrain

Quand il me prend dans ses bras
Qu'il me parle tout bas
Je vois la vie en rose
Il me dit des mots d'amour
Des mots de tous les jours

Et ça me fait quelque chose
Il est entré dans mon cœur
Une part de bonheur
Dont je connais la cause
C'est toi pour moi, moi pour toi, dans la vie
Tu me l'as dit, l'as juré, pour la vie
Et dès que je t'aperçois
Alors je sens en moi
Mon cœur qui bat.

Mariage
du film *Étoile sans lumière*

Paroles de H. Contet   *Musique de M. Monnot*

Six heures, place de la Trinité
Quand le coup de feu a claqué
Juste en face du petit café
La dame qui avait tiré
Regardait d'un air étonné
L'homme en gris qui était tombé.

On ajouta un numéro
Sur le registre de bureau
Du commissariat de police
La dame, elle ne veut pas parler
Et quand le juge est fatigué
Elle bavarde avec son passé…
Dire que tout ça a commencé
En même temps qu'un soleil d'été
Qui avait l'air fait pour durer
Et le soleil s'était posé
Sur un jeune homme en gris foncé
Qui avait l'air fait pour danser
Alors, bien sûr, elle a valsé
Et puis après, l'a embrassé
Il n'en faut pas plus pour aimer.

On ajouta un numéro
Sur le registre de bureau
De la mairie du quatorzième
Alors tout devient merveilleux
Dans les beaux rêves on ne fait pas mieux
La dame elle en ferme les yeux
Elle revoit, elle revoit
Le seul jour de sa vie, je crois
Où elle a fait un signe de croix
Car tout était miraculeux
L'église chantait rien que pour eux
Et même, le pauvre était heureux
C'est l'amour qui faisait sa tournée
Et de là-haut, à toutes volées
Les cloches criaient : « Vive la mariée ! »

Sonnez, sonnez, carillonnez !
S'il a juré fidélité,
Il a menti, le bien-aimé
Sonnez, sonnez, carillonnez !
Il a juré fidélité
Il a menti, le bien-aimé...
Carillonnez !...

© Beuscher, 1945.

La grande cité

Paroles d'Edith Piaf   *Musique de M. Monnot*

1

Je suis né dans la cité
Qui enfante les usines
Là où les hommes turbinent
Toute un' vie sans s'arrêter
Avec leurs haut's cheminées
Qui s'élancent vers le ciel
Comme pour cracher leur fumée
En des nuages artificiels
Et dans le bruit des sirènes

123

Des hommes vont, des hommes viennent
C'est la grand'ville qui surgit.

Refrain

Comm' c'est drôle
Ces gens qui marchent dans la rue
Comm' c'est drôle
La vie perdue dans la cohue
La sérénade des fauchés
Monte comme une mélopée
La sérénade des gens bien
Et puis des ceuss'nt qui n'sont pas bien
Et moi je les regarde vivre
Et j'trouv' ça drô-ô-le.

2

Juste au bout de la cité
On ne voit plus les usines,
On ne voit que la fumée
Des bateaux et leurs machines
Il y a la gru' géante
Qui des quais jusqu'aux bateaux
Avec sa marche obsédante
S'amuse à cracher dans l'eau
On dirait un' drôl' de fête
Où se promène la tempête
Et le Bon Dieu qui est là-haut
Doit trouver ça rigolo.   (*Refrain*)

3

Mais il y'a dans la cité
Une fille à la peau douce,
A la va comm' je te pousse
Un' fill' toujours mal peignée,
Elle a sa rob' déchirée,
Mais j'ai trouvé dans ses yeux
Un bout de ciel égaré
Et qui n'appartient qu'à nous deux,

Je ne vois plus les usines
Et je n'entends plus les machines
Qui donc se dress' sur la cité ?
C'est l'amour et sa liberté.

Refrain

Comm' c'est drôle
L'amour qui marche dans la rue,
Comm' c'est drôle
Deux cœurs perdus dans la cohue,
La sérénade de l'amour,
La sérénade des toujours,
Monte, monte sur la cité
Pour lui chanter sa mélopée
Et moi je suis là pour la suivre,
...
J'trouv' plus ça drô-ô-le.

Monsieur Ernest a réussi

Paroles et musique de Michel Emer

Je suis vestiaire au restaurant
Du « Lion d'Or » et de « l'Écu d'France »
Monsieur Ernest y vient souvent
Et chaqu'fois il m'fait des avances
Il m'a si bien entortillée
Parlé de « cœur » et de « chaumière »
Qu'un jour enfin j'ai accepté
Pour lui de quitter mon vestiaire.

Monsieur Ernest a réussi
On est parti un soir de fête
Il m'a si bien tourné la tête
Qu'on ne s'est pas quitté d'la nuit
Depuis ce jour je vis chez lui
Dans sa petit' chambre au septième
On n'a pas un sou mais je l'aime
Monsieur Ernest a réussi.

Monsieur Ernest est entêté
Monsieur Ernest est arriviste
Quand il veut quèqu'chos', c'est gagné
Faut dir' c'qui est, rien n'lui résiste
Il a parié que dans un an
Il serait au moins millionnaire
Il gagn' maintenant tell'ment d'argent
Qu'il ne sait même plus qu'en faire.

Monsieur Ernest a réussi
Il a maintenant tell'ment d'affaires
Qu'il a besoin d'trois secrétaires
Il traite avec tous les pays
Dans son hôtel d'la rue d'Passy
Il travaill' tant qu'il se surmène
Il vient m'voir un'fois par semaine
Mon Ernest a réussi.

Monsieur Ernest m'a dit l'autr' jour
J'ai trouvé un' riche héritière
Naturell'ment c'est pas d'l'amour
Mais il y va de ma carrière
Tiens, prends toujours un peu d'argent
Cela te permettra d'attendre
Et si tu trouves un autre amant
Il n'y a qu'à moi qu'j'pourrai m'en prendre.

Monsieur Ernest a réussi
Il n'a pas brisé sa carrière
Moi, j'ai retrouvé mon vestiaire
Y'a rien à faire c'est la vie
Monsieur Ernest est v'nu l'autr' soir
Il était même avec sa dame
Moi, j'avais peur qu'ça n'fass' des drames
Il m'a filé cent sous d'pourboir'
Monsieur Ernest a réussi.

Elle a...

Paroles d'Edith Piaf   *Musique de M. Monnot*

1

Si vous rencontrez sur la route
Un p'tit bout d'femme pas plus grand qu'ça
Vous vous direz sans aucun doute
Qu'elle est mignonne et puis voilà
Pour moi c'est mon bouquet de rires
Et la raison de mes tourments
C'est aussi cela va sans dire
Mon grand amour pour le moment.

Refrain

Elle a des yeux
C'est merveilleux
Et puis des mains
Pour mes matins
Elle a des rires
Pour me séduire
Et des chansons
Bo le le la
Bo le le lo la
Elle a elle a
Des tas de choses
Des choses en rose
Rien que pour moi.

2

Ne trouvez-vous pas qu'elle est belle ?
Et que j'ai raison d'en parler,
A chaque instant je pense à elle,
Mais n'allez pas lui répéter.
On est si bête quand on aime,
On se répète à chaque fois,
Évidemment c'est la troisième,
Mais surtout ne lui dites pas.

Elle a des yeux
C'est merveilleux,
Et puis des mains
Pour mes matins,
Elle a des rires
Pour me séduire,
Dans ma chanson
Bo le le la
Bo le le lo la
...

...

Il y a elle
Rien que pour moi
Enfin... je l'crois.

Le disque usé

Paroles et musique de M. Emer

1

Impasse de la gouttière,
Dans la ruelle aux mat'lots,
Où n'entre pas la lumière,
Y'a un vilain caboulot.
La figure triste et pâle
Une servante aux yeux bleus
Rêve aux plus belles escales
Et à des ciels merveilleux.
Chaque sifflet des bateaux
Lui dit : « Ton attente est vaine »
Mais dans un coin un phono
Chante sa vieille rengaine.

Refrain

Tant qu'y'a d'la vie y'a d'l'espoir
Vos désirs, vos rêves

128

Seront exaucés un soir
Avant que votre vie s'achève
Le bonheur viendra vous voir
Il faut l'attendre sans trêve
Chassez les papillons noirs
Tant qu'y'a d'la vie y'a d'l'espoir.

2

Il était beau comme un ange,
Des cheveux blonds comm' le miel,
Son regard était étrange,
Plus bleu que le bleu du ciel.
Il appela la servante
Et lui dit : «Je te cherchais»
Elle répondit tremblante
«Y'a longtemps que j'attendais.»
Il l'a serrée dans ses bras,
«Quand je serai capitaine…»
Et le vieux disque, tout bas,
Chante sa vieille rengaine.   *(Au refrain)*

3

Impasse de la gouttière,
Dans la ruelle aux mat'lots,
Où n'entre pas la lumière,
Y'a un vilain caboulot.
Elle attend, fière et hautaine,
Elle attend depuis vingt ans,
Elle attend son capitaine,
Et son regard est confiant.
Chaque sifflet des bateaux
Lui dit : «Ton attente est vaine»
Mais elle écout' le phono
Raclant sa vieille rengaine.   *(Au refrain)*

1946

Le Rideau tombe avant la fin

Paroles de J.-M. Thibault *Musique de J. Besse*

Refrain

Le Rideau tombe avant la fin
Avant la fin du troisième acte
Les bell's sorties pour comédiens
Ça n'intéress' pas le destin
Des fois la vie ça commenc' bien
Quand ça commenc' mal on s'en tire
Mais pour finir on n'y peut rien,
Le Rideau tombe avant la fin !

1

Tous ceux du coin qui l'ont connu
Aussi bien qu'moi pourront vous dire :
D'abord on n'voyait qu'son sourire
Des gars comm' ça on n'en fait plus !
Bien sûr les autr's étaient jaloux,
Mais ça n'avait pas d'importance,
Il portait avec lui la chance,
Il était le premier partout.
C'était lui qui gagnait toujours
Au Poker d'As comme en Amour,
Toujours joyeux, toujours content
Il était fait pour vivr' cent ans !

2ᵉ refrain

Le Rideau tombe avant la fin
Avant la fin du troisième acte !
(On ne chante que ces deux vers et on passe au 2ᵉ couplet.)

2

Pourtant c'est moi qu'il a voulue
Y'avait pourtant d'la différence
Entre sa veine et ma malchance
C'est peut-êtr' ça qui lui a plu.
Pour lui y'avait trop de bonheur
Il fallait bien qu'il le partage
Mais il conservait l'avantage.
Peut-être qu'il n'avait pas de cœur !
Il disait : «J'suis comm' les statues,
On s'fait mal quand on m'tap' dessus
On n'a jamais pu m'entamer !»
Il a eu tort de me tenter !

3e refrain

Le Rideau tombe avant la fin
Avant la fin du troisième acte !
Autour de nous, y'a les malins
Qui sav'nt diriger leur destin
Le Monde entier leur appartient
Tant que se joue la comédie
Mais ils oublient qu'on n'y peut rien
Le Rideau tombe avant la fin !

3

On n'sait pas jouir de ses trésors,
On n'sait pas profiter d'sa veine
J'ai voulu lui faire un peu d'peine :
Il était trop riche et trop fort !
Quand il m'a trouvée dans un bal
Avec un typ' sans importance,
Il a dit : «C'est fini ma chance
C'est la premièr' fois qu'on m'fait mal !»
On n'sait pas s'il a voulu s'tuer
Ou si la guign' s'en est mêlée,
On a r'trouvé au p'tit matin
Sa bell' bagnol' dans un ravin !

*(Les 16 premières mesures du refrain seront jouées par l'orchestre
seul puis le chant reprend.)*

Je ne crois plus aux beaux matins
La nuit tombe beaucoup trop vite
Et l'Avenir ne promet rien :
Le Rideau tombe avant la fin !

Le roi a fait battre tambour

Chanson populaire
Créée avec Les Compagnons de la Chanson

Musique et arrangements de M. Herrand

Le roi a fait battre tambour
Le roi a fait battre tambour
Pour voir toutes ses dames
Et la première qu'il a vue
Lui a ravi son âme

Marquis, dis-moi, la connais-tu ?
Marquis, dis-moi, la connais-tu ?
Qui est cette jolie dame ?
Le marquis lui a répondu
Sire roi, c'est ma femme

Marquis tu es plus heureux que moi
Marquis tu es plus heureux que moi
D'avoir dame si belle
Si tu voulais me l'accorder
Je me chargerais d'elle

Sire si vous n'étiez le roi
Sire si vous n'étiez le roi
J'en tirerais vengeance
Mais puisque vous êtes le roi
A votre obéissance

Marquis ne te fâche donc pas
Marquis ne te fâche donc pas
T'auras ta récompense
Je te ferai dans mes armées
Mon maréchal de France

Adieu ma mie, adieu mon cœur
Adieu ma mie, adieu mon cœur
Adieu mon espérance
Puisqu'il te faut servir le roi
Séparons-nous ensemble...

La reine a fait faire un bouquet
La reine a fait faire un bouquet
De jolies fleurs de lyse
Et la senteur de ce bouquet
A fait mourir marquise...

Céline

Chanson populaire
Créée avec Les Compagnons de la Chanson
Arrangements de L. Liébart et M. Herrand

Sont trois jeunes garçons
S'en allant à la guerre
S'en allant à la guerre
Tout droit en regrettant
Tout droit en regrettant
Bien leurs maîtresses.

Le plus jeune des trois
Regrettait bien la sienne
Regrettait bien la sienne
Et il a bien raison
C'est la plus jolie fille
De tous les environs.

Le bon soldat s'en va
Trouver son capitaine
« Bonjour, mon capitaine
Donnez-moi mon congé
Pour aller voir Céline
Qui ne fait que pleurer... »

Son capitaine répond
Comme un homme de guerre
Ton joli passeport
Va t'en, va voir ta fille
Tu reviendras d'abord. »

Puis le galant s'en va
Au château de son père
« Bonjour mon père, ma mère
Bonjour mes chers parents
Sans oublier Céline
Que mon cœur aime tant. »

Son père lui répond :
« Mais ta Céline est morte
Mais ta Céline est morte.
Est morte en t'appelant.
Son corps est dans la terre,
Son âme, au Paradis. »

Puis le galant s'en va
Pleurer dessus sa tombe
« Céline, ma Céline,
Parle, parle, parle-moi !
Mon cœur se désespère
De jamais plus te voir... »

Céline lui répond :
« Ma bouche est pleine de terre
Ma bouche est pleine de terre...
La tienne est pleine d'amour !
Je garde l'espérance

De te revoir un jour... »

Le bon soldat s'en va
Trouver son capitaine
« Bonjour, mon capitaine !
Me voici de retour
Puisque Céline est morte,
Je servirai toujours... »

Le chant du pirate
Du film *Étoile sans lumière*

Paroles de H. Contet   *Musique de M. Monnot*

1

Marchant par-dessus les tempêtes
Courant dans la vague et le vent
Chassant les blanches goélettes
C'est nous ça, les gaillards d'avant
C'est nous qui sommes les corsaires
Brigands tout comme étaient nos pères.

Refrain

Ho-hisse et ho ! Miséricorde !
Pour nous tenir au bout d'une corde
Faudra d'abord nous attraper
Faudra d'abord nous aborder...
Ho-hisse-ho ! Pavillon noir !
Ho-hisse-ho ! Pavillon haut !
Tant que le vent pousse la frégate
Y'a du bon temps pour les pirates
Tant que la mer est par-dessous
C'est le corsaire qui tient le bon bout !
Ho-hisse-ho ! Pavillon noir !
Ho-hisse-ho ! Pavillon haut !

136

2

Tant pis pour les yeux de ta mère
Tant pis pour la reine et le roi
Tant mieux si tu deviens corsaire
Jésus était un hors-la-loi
Viens donc fréquenter les étoiles
Dormir dans le ventre des voiles.   *(Au refrain)*

C'est merveilleux
Du film *Étoile sans lumière*

Paroles de H. Contet   *Musique de M. Monnot*

1

Le jour où tu m'as rencontrée
Était un jour triste à mourir
Et je traînais dans mes pensées
Un chagrin à n'en plus finir
Mais il a suffi que tu viennes
Pour que j'oublie toutes mes peines.

Refrain

C'est merveilleux
Quand on est tous les deux
Le bonheur nous surveille
C'est merveilleux
Quand on est amoureux
Les beaux jours se réveillent
C'est merveilleux
La vie est peinte en bleu
A grands coups d'soleil
Puisque je t'aime
Et que tu m'aimes
C'est merveilleux !

2

Nous passerons toute la vie
A chanter un si grand amour
Pour une chanson si jolie
La vie n'a pas assez de jours
Nous en ferons une harmonie
Qui ne sera jamais finie...

Refrain

C'est merveilleux
Quand on est tous les deux
Le bonheur nous surveille
C'est merveilleux
Quand on est amoureux
Les beaux jours se réveillent
C'est merveilleux
La vie est peinte en bleu
A grands coups d'soleil
Puisque je t'aime
Et que tu m'aimes
C'est merveilleux!

© Beuscher, 1946.

Un homme comme les autres

Paroles d'Edith Piaf   *Musique de P. Roche*

1

A l'voir comme ça un homme c'est rien
Mais pour peu qu'il vous intéresse
Ça tient d'la place, cré nom d'un chien
Celui pour qui j'ai des faiblesses
N'est pas tellement joli garçon
Mais il ressemble à ma chanson.

Refrain

Un homme comme les autres
Un homme parmi tant d'autres

Et pourtant...
Personne n'a sa voix
Personne n'a ses yeux
Quand je l'aperçois
J'en ai plein les yeux
Et je l'aime...
Un homme comme les autres
Un homme parmi tant d'autres
Et pourtant...
Nous avons des nuits
Toutes remplies d'amour
Serrée contre lui
Jusqu'au petit jour
Où l'on s'aime...
Un homme comme les autres
Un homme parmi tant d'autres.

2

Voilà des mois qu'il est parti
Les gens m'ont dit : «On s'en console»
Probable qu'ils avaient menti
J'ai l'impression que j'deviens folle
Jamais, jamais je ne l'oublierai
Jusqu'à la fin je l'attendrai.

Refrain

Un homme comme les autres
Un homme parmi tant d'autres
Et pourtant...
En fermant les yeux
Je revois soudain
Quand dans mes cheveux
Il glissait ses mains
Et je l'aime...
Un homme comme les autres
Un homme parmi tant d'autres
Et pourtant...
Dans mes souvenirs
Je nous vois danser

139

Je vais me blottir
Lui va m'emporter.

Et je l'aime...
...
Un homme parmi tant d'autres...

J'm'en fous pas mal

Paroles et musique de M. Emer

1

Je suis née, passage de la Bonne-Graine
J'en ai pris d'la graine, et pour longtemps
J'travaille comme un chien toute la semaine
J'vous jure que l'patron, il est content
Mes amies se sont mises en colère :
« C'est pas bien malin, c'que tu fais là...
Faut c'qu'y faut, mais toi, tu exagères,
Tu verras qu'un jour, tu le regretteras... »

Refrain

J'm'en fous pas mal
Y peut m'arriver n'importe quoi
J'm'en fous pas mal
J'ai mon dimanche qui est à moi
C'est p't'êt' banal
Mais ce que les gens pensent de vous
Ça m'est égal !
J'm'en fous !
Il y a les bords de la Seine
Il y a l'avenue de l'Opéra
Il y a le Bois de Vincennes
Quel beau dimanche on a là
Et puis, y'a l'bal
Qui vous flanque des frissons partout
Y'a des étoiles

Qui sont plus belles que les bijoux
Y'a les beaux mâles
Qui vous embrassent dans le cou
L'reste, après tout,
J'm'en fous!

2

Ce fut par un de ces beaux dimanches
Que tous deux l'on se mit à danser
De grands yeux noirs, de longues mains blanches
Alors, j'me suis laissée embrasser
Mes amis se sont mises en colère:
« C' type-là, c'est connu, il a pas d'cœur
C'est un va-nu-pieds, un traîne-misère
Y t'en f'ra voir de toutes les couleurs...»

Refrain

J'm'en fous pas mal
Il peut m'arriver n'importe quoi
J'm'en fous pas mal
J'ai mon amant qui est à moi
C'est p't'êt' banal
Mais ce que les gens pensent de vous
Ça m'est égal!
J'm'en fous!
Il y a ses bras qui m'enlacent
Il y a son corps doux et chaud
Il y a sa bouche qui m'embrasse
Ha, mon amant, c'qu'il est beau!
Et puis y'a l'bal
Quand je suis dans ses bras c'est fou
J'me trouverais mal
Quand il m'dit: «Viens! Rentrons chez nous!»
Ah l'animal!
Avec lui, j'irais n'importe où
L'reste après tout,
J'm'en fous!

3

J'ai vécu des heures si jolies
Quand il me tenait entre ses bras
J'n'aurais jamais cru que dans la vie
On puisse être heureuse à ce point-là
Mais un jour où tout n'était que rires
Un jour de printemps rempli de joie
Il s'en est allé sans rien me dire
Sans même m'embrasser une dernière fois...

Refrain

J'm'en fous pas mal
Y peut m'arriver n'importe quoi
J'm'en fous pas mal
J'ai mon passé qui est à moi
C'est p't'êt' banal
Mais ce que les gens pensent de vous
Ça m'est égal !
J'm'en fous !
Les souvenirs qui m'enlacent
Chantent au fond de mon cœur
Et tous les coins où je passe
Me rappellent mon bonheur
Et puis y'a l'bal
Je danse, et je ferme les yeux
Je crois que c'est encore nous deux
Parfois j'ai mal
J'ai mon cœur qui frappe à grands coups
Ça m'est égal.
J'm'en fous !...

Il fait des…

Paroles d'Edith Piaf   Musique d'E. Chekler

1

Habits sans style
Visage hostile
Toujours ailleurs
Les yeux rêveurs,
La voix austère
Ne parlant guère,
Les gens disaient
Il n'est pas gai…

2

Intellectuel
Industriel
Il est tout ça
Mais ne l'dit pas.
Les mots d'amour
Et les toujours
Ça, ça l'endort
Autr' chose encore.

Refrain

Oui mais… mais… mais… mais
Dès qu'il entend la musique
On dirait un hystérique
Il fait des… la, la, la, la
La, la, la, la — la la, la la la
La, la, la
Et puis des… oh! la, la la la la la
la la la la la
Souvent des… Oh! Willy, Wil-ly-Wil-ly Willy-Willy,
Willy Willy Willy Willy,
Willy Willy Willy Willy
Wi… Rarement des (*chanté*) Plaisir d'amour ne dure
           [qu'un moment
(*Parlé*) Non, lui c'qu'il lui faut c'est des…
(*Chanté*) Hé-dy-Hédy-Hé-dy-Hé-é-dy oh…

Coda

Dès qu'on lui joue du classique
Il devient mélancolique
(*Parlé*) Il fait des... oh! Et puis des... heh!!
Souvent des... oui... oui... oui...
Rarement des... ah! ah! ah!
Non, lui c'qu'il lui faut c'est des...
(*Chanté*) Hé-dy-Hé-dy-Hé-dy, hé-é-dy oh...

Le petit homme

Paroles de H. Contet   *Musique de M. Monnot*

Il y avait la vie de tous les jours
Il y avait le chahut des carrefours
Et puis les gens qui achetaient leurs journaux
Et puis tous ceux qui prenaient le métro
Il y avait la parade des boulevards
Les boniments du vieux camelot bavard
Et se mirant dans l'eau sale des ruisseaux,
Le ciel d'avril qui faisait le gros dos.

Il y avait un petit homme
Qui s'en allait à pas comptés
Il avait l'air bien économe
Le petit homme...
Avec son vieux veston râpé
Mais il avait une maîtresse
Qui lui coûtait beaucoup d'argent
Elle lui vendait sa belle jeunesse
Et des caresses
Que le petit homme payait comptant...
Il y avait sa vie des samedis soirs
Il y avait l'escalier, le couloir
Il y avait la porte tout au bout
Et puis deux bras attachés à son cou
Il y avait des fleurs sur le piano
Il y avait la blancheur des rideaux

Et puis des heures sur le grand divan bleu
Et puis tout ça qui le rendait heureux.

Il y a eu la porte close
Avec un mot passé dessous
Joli papier bordé de roses
Pour dire des choses
Que l'on comprend du premier coup
Un petit homme qu'on abandonne
Ne peut rien faire que s'en aller
Dans la rue froide où tout résonne
Et sans personne
Tout à fait seul, pour mieux pleurer.

Il y avait la vie de tous les jours
Qui continuait sa fanfare de toujours
Il y avait les valses des phonos
Qui éclataient en sortant des bistrots
Il y avait un garçon qui chantait
Il y avait une fille qui riait
Et puis la ronde de l'amour merveilleux
Et le petit homme
Qui pleurait au milieu...

Adieu mon cœur

Paroles de H. Contet   *Musique de M. Monnot*

Adieu mon cœur
On te jette au malheur
Tu n'auras pas mes yeux
Pour mourir...
Adieu mon cœur
Les échos du bonheur
Font tes chants tristes
Autant qu'un repentir

Autrefois tu respirais le soleil d'or
Tu marchais sur des trésors

145

On était vagabonds
On aimait les chansons
Ç'a fini dans les prisons

Adieu mon cœur
On te jette au malheur
Tu n'auras pas mes yeux
Pour mourir...
Adieu mon cœur
Les échos du bonheur
Font tes chants tristes
Autant qu'un repentir
... Un repentir...

1947

Qu'as-tu fait John?

Paroles et musique de M. Emer

1

Dans le cœur de la Louisiane
John sous un soleil de plomb
Travaille près de La Savane
Dans un grand champ de coton
Il transpire à grosses gouttes
Il a chaud, il n'en peut plus
Lorsque soudain sur la route
Une foule est accourue
Vers le pauvre John qui tremble
Margaret lève le doigt
A la foule qui se rassemble
Elle a dit : «Il s'est jeté sur moi!»

Refrain

Qu'as-tu fait John? Qu'as-tu fait?
Il s'est jeté sur une femme blanche
Qu'as-tu fait John? Qu'as-tu fait?
Il avait trop bu dimanche
Ivre comme un portefaix
Qu'as-tu fait John? Qu'as-tu fait?

2

On emmène John au village
A la maison du sheriff
Tous les blancs hurlant de rage
Réclament un jugement hâtif

« C'est un salaud : qu'on le pende !
Pour leur donner une leçon ! »
John gigote sous la branche
Un frisson, puis c'est fini
Les hommes blancs, les femmes blanches
Vont se coucher dans la nuit.

Refrain

Qu'as-tu fait John ? Qu'as-tu fait ?
Faut pas toucher aux femmes blanches
Qu'as-tu fait John ? Qu'as-tu fait ?
Tu as l'air fin au bout de ta branche !
T'es pendu et c'est bien fait
Qu'as-tu fait John ? Qu'as-tu fait ?

3

Sur la maison qui sommeille
Margaret frappe à grands coups
Le sheriff qui se réveille
Lui demande : « Que voulez-vous ? »
« C'est moi qui voulais le nègre »
Dit-elle « Je viens m'accuser
C'est moi qui aimais le nègre.
Puis John m'a refusée »
Le sheriff est en colère :
« Oh ! Que d'histoires pour un noir !
Allons, faut pas vous en faire !
Bonsoir, Margaret ! Bonsoir ! »

Refrain

Qu'as-tu fait John ? Qu'as-tu fait ?
Refuser une femme blanche !
Qu'as-tu fait John ? Qu'as-tu fait ?
Te v'là pendu à une branche
Une voix répond dans le vent :
« Il est plus heureux qu'avant...
John est au paradis...
Pour les pauvres nègres il prie

148

John est maintenant tout joyeux
Il est à la droite du Bon Dieu. »

C'est pour ça
Du film *Neuf garçons, un cœur,*
avec Les Compagnons de la Chanson

Paroles de H. Contet   *Musique de M. Monnot*

1

Il était une amoureuse
Qui vivait sans être heureuse
Son amant ne l'aimait pas
C'est drôle, mais c'était comme ça
Elle courut à la fontaine
Afin d'y noyer sa peine
Et tout le diable et son train
La poussaient dans le chemin.

Refrain

C'est pour ça que l'amour pleurait dans son coin
C'est pour ça que le ciel n'y comprenait rien
Les jours de lumière
Les mots des prières
Tous en procession
Lui faisaient escorte
Mais la fille est morte
En criant : « pardon »
C'est pour ça que l'amour pleurait dans son coin
C'est pour ça que le ciel n'y comprenait rien...

2

Toutes les fleurs se fanèrent
Et la nuit couvrit la terre
Pour chanter le dernier jour
De cette morte d'amour

Échappés du noir manège
Les mal-aimés en cortège
Partent essayer d'empêcher
Le soleil de se lever.

Refrain

C'est pour ça que l'amour n'avait plus d'amis
C'est pour ça que le ciel cherchait un abri
Les jeux et les rondes
Toutes les joies du monde
Voulaient s'en aller
Et le cœur des hommes
Tout pourri d'automne
Allait se fâner...
C'est pour ça que l'amour n'avait plus d'amis
C'est pour ça que le ciel cherchait un abri.

3

Mais voilà que ma légende
Va danser sous les guirlandes
Ça ne pouvait pas durer
L'amour a tout arrangé
Et depuis, c'est lui qui chante
Tant pis pour qui se tourmente
Vous pouvez toujours pleurer
Il est plus fort à chanter...

Refrain

C'est pour ça qu'on entend les accordéons
C'est pour ça que la rue éclate en chansons
Le chagrin des âmes
Dans tout ce vacarme
On ne l'entend plus
L'amour fait la fête
Et chacun, c'est bête
A cœur que veux-tu
C'est pour ça qu'on entend les accordéons
C'est pour ça que la rue éclate en chansons.

© Beuscher, 1947.

Mais qu'est-ce que j'ai ?

Paroles d'Edith Piaf   *Musique de H. Betti*

Refrain 1

Mais qu'est'c'que j'ai à tant l'aimer
Que ça me donne envie d'crier
Sur tous les toits, elle est à moi
J'aurais l'air fin si j'faisais ça
C'est pas normal me direz-vous
D'aimer comm'ça faut être fou !
Je le suis bien oui mais voilà
Je n'y peux rien c'est malgré moi
Et quand ça m'prend y'a rien à faire
Je l'aime tant c'est merveilleux
Je ne vis plus sur cette terre
Lorsque je rêve à ses yeux
A ses yeux bleus comme l'azur
A ses cheveux, d'un blond si pur
Mais qu'est'c'que j'ai à tant l'aimer,
Mais qu'est'c'que j'ai
Mais qu'est'c'que j'ai.

Couplet

L'amour c'est vraiment extraordinaire
Je n'ai plus du tout les pieds sur la terre
Tous mes copains maint'nant se moquent de moi
Car au plus loin que je les aperçois
Allez ça y est, me v'là r'parti !
Elle a cela, elle a ceci
Oui, oui qui dis'nt on voit très bien
Ces idiots n'y comprennent rien !

Refrain 2

Mais qu'est'c'que j'ai à tant l'aimer
Que ça me donne envie d'crier
Sur tous les toits, elle est à moi
J'aurais l'air fin si j'faisais ça
C'est merveilleux un grand amour

Quand c'est basé sur du toujours
Pour un rien, je suis malheureux
Pour encor moins je suis heureux
Et quand ça m'prend y'a rien à faire
Je l'aime tant c'est merveilleux
Je ne vis plus sur cette terre
Lorsque je rêve à ses yeux
A ses yeux bleus
Comme l'azur
A ses cheveux
D'un blond si pur
Mais qu'est'c'que j'ai à tant l'aimer,
Mais qu'est'c'que j'ai
Mais qu'est'c'que j'ai.

Un refrain courait dans la rue

Paroles d'Edith Piaf   *Musique de R. Chauvigny*

1

Dans un amour faut d'la fierté
Savoir se taire... d'la dignité
Il faut partir au bon moment
Cacher son mal en souriant
Et je pensais tout en marchant
Que j'avais su partir à temps
Si mon cœur est désespéré
Il ne m'aura pas vue pleurer.

Refrain

Un refrain court dans la rue
Bousculant les passants
Y s'faufilait dans la cohue
D'un p'tit air engageant
J'étais sur son passage
Il s'arrêta devant moi
Et me dit d'un ton sage

152

« Tu es triste, mon Dieu pourquoi ?
Viens et rentre dans ma chanson
Il y a des beaux garçons
Jette ton chagrin dans le ruisseau
Et tourne-lui le dos »
Si cet air qui court dans la rue
Peut chasser vos tourments
Alors entrez dans la cohue
Y'a d'la place en poussant.

2

Il faut que mon couplet soit gai
Alors parlons du mois de mai
Des arbres en robe de lilas
Et de l'été qui pousse en tas
Y'a des violett's sur un balcon
Un vieux poèt' chante un' chanson
Ma robe est tachée de soleil
Je le garde pour mes réveils.

Refrain

Un refrain courait dans la rue
Bousculant les passants
Y' s'faufilait dans la cohue
D'un p'tit air engageant
Les gens sur son passage
Se regardaient l'air surpris
Cessant leurs bavardages
« Quel est donc ce malappris ? »
Oui mais l'air était entraînant
Et les mots engageants
Mais surtout il y'avait dedans
Du rire à bout portant.

© Beuscher, 1947.

Si tu partais

Paroles et musique de M. Emer

Couplet 1

Notre bonheur est merveilleux
Notre amour fait plaisir à Dieu
Il est plus pur, il est plus clair
Que l'eau limpide des rivières
Mon cœur étouff' quand tu es là
Ne touche pas à tout cela!

Refrain

Si un jour
Tu brisais notre amour
Si un jour
Tu partais pour toujours
Tout sombrerait dans la nuit
Les oiseaux, dans leurs nids
Ne chanteraient plus
Leurs chants éperdus
Si un jour
Tu brisais notre amour
Si un jour
Tu partais sans retour
Les fleurs perdraient leur parfum,
Et ce serait la fin de toute joie
Reste avec moi
Crois-moi, c'est vrai
J'en mourrais si tu partais.

Couplet 2

Tes yeux pour moi sont bien plus beaux
Qu'un rayon de lune dans l'eau
Lorsque tu pars quelques instants
C'est comme la neige au printemps
Tu reviens, tu me tends les bras
Ne touche pas à tout cela!   *(Au refrain)*

1948

Les yeux de ma mère

Paroles et musique d'Edith Piaf

1

Il était tell'ment, tell'ment grand
Qu'on aurait pu croir' par moment
Qu'il voulait atteindre le ciel
Il r'gardait pas mais il rêvait
Il parlait pas mais il chantait
Des choses qui parlaient de soleil
Un jour il a regardé l'eau
Il est monté sur un bateau
Pour courir après l'aventure
Alors les gars l'ont vu rêver
Puis ils l'ont entendu chanter
Les yeux levés vers la nature
Oh! la tendre chanson
Que chantait le garçon.

Refrain

Les yeux de ma mère
Les yeux de ma mie
La voix de ma mère
La voix de ma mie
Les mains de ma mère
Les mains de ma mie
Sont pour moi plus que la vie

2

Le bateau a quitté le port
Il a tourné le dos au Nord
A fendu l'eau du Pacifique
De Liverpool à Panama
Santiago, Tahiti, Cuba

A traversé les Amériques
S'il s'arrêta dans chaque port
Il n'a jamais pu trouver l'or
Sa poche resta sans fortune
Par contre au gré de ses désirs
Il entassa des souvenirs
Pour s'en fair' de beaux clairs de lune
Et toujours la chanson
Poursuivait le garçon.   *(Au refrain)*

3

Oui, mais à force de chercher
On finit toujours par trouver
La fin de tout's les aventures
Dans le fond on n'a jamais su
Le «pourquoi» quand il s'est battu
Contre des types à la peau dure
Quell' bell' bagarre on a vu là
Ça volait partout en éclats
On en parle encore, je vous l'jure
Puis la bagarr' s'est terminée
Par un' ball' qui s'est égarée
En plein milieu d'son aventure
Il reste la chanson
Que chantait le garçon.   *(Au refrain)*

© Breton, 1948.

Les amants de Paris

Paroles de Léo Ferré et Eddy Marnay   *Musique de Léo Ferré*

Les amants de Paris couchent sur ma chanson
A Paris les amants s'aiment à leur façon
Les refrains que je leur dis
C'est plus beau que les beaux jours
Ça fait des tas d'printemps et l'printemps fait l'amour.
Mon couplet s'est perdu
Sur les bords d'un jardin
On ne me l'a jamais rendu

Et pourtant je sais bien
Que les amants de Paris m'ont volé mes chansons
A Paris les amants ont de drôles de façons...

Les amants de Paris se font à Robinson
Quand on marque des points à coups d'accordéon
Les amants de Paris vont changer de saison
En traînant par la main mon p'tit brin de chanson.
Y'a plein d'or, plein de lilas
Et des yeux pour les voir
D'habitude c'est comme ça
Que commencent les histoires
Les amants de Paris se font à Robinson
A Paris les amants ont de drôles de façons.

J'ai la chaîne d'amour au bout de mes deux mains
Y'a des millions d'amants et je n'ai qu'un refrain
On y voit tout autour les gars du monde entier
Qui donneraient bien l'printemps pour venir s'aligner
Pour eux c'est pas beaucoup
Car des beaux mois de mai
J'en ai collé partout
Dans leurs calendriers...
Les amants de Paris ont usé mes chansons
A Paris les amants s'aiment à leur façon
...
Donnez-moi des chansons
Pour qu'on s'aime à Paris...

Il pleut

Paroles de Charles Aznavour   *Musique de P. Roche*

Il pleut
Les pépins tristes compagnons
Comme d'immenses champignons
Sortent un par un des maisons
Il pleut

Et toute la ville est mouillée
Les maisons se sont enrhumées
Les gouttières ont la goutte au nez
Il pleut
Comme dirigés par un appel
Les oiseaux désertent le ciel
Nuages et loups
Les fenêtres, une larme à l'œil
Semblent toutes porter le deuil
Des beaux jours
Il pleut
Et l'on entend des clapotis
La ville n'a plus d'harmonie
Solitaires, les rues s'ennuient
Il pleut...

J'écoute
Quand s'égoutte
La pluie qui me dégoûte
Sur les chemins des routes
Et partout alentour
Les gouttes
Qui s'en foutent
Ne savent pas sans doute
Que mon cœur en déroute
A perdu son amour...
Il pleut
Les pépins, tristes compagnons
Comme d'immenses champignons
Sortent un par un des maisons
Il pleut
Et toute la ville est mouillée
Les maisons se sont enrhumées
Les gouttières ont la goutte au nez
Il pleut
La nature est chargée d'ennuis
Là-haut tout est vêtu de gris
Le ciel est boudeur
Le nez aplati au carreau
J'attends, laissant couler le flot de mes pleurs

Il pleut
Dans mon cœur aux rêves perdus
Sur mon amour comme dans la rue
Et sur mes peines sans issue
Il pleut...

Monsieur Lenoble

Paroles et musique de M. Emer

1

Monsieur Lenoble est très triste
Depuis que sa femme l'a quitté
Avec un tout jeune artiste
Qu'elle a connu cet été
Et monsieur Lenoble écoute
La mélodie qu'elle aimait
Ces quelques notes goutte à goutte
L'empoisonnent à jamais
La-la-la...

Refrain

T'as pas profité de ta chance
Mon ami, mon ami
Tu avais trop de confiance
C'est fini, c'est fini
T'avais une femme merveilleuse
Si jolie, si jolie
T'as pas su la rendre heureuse
T'es tout seul, elle est partie...

2

Monsieur Lenoble raisonne
Il pense à tout ce qu'il a fait
Ses intentions étaient bonnes
Même s'il n'était pas parfait
Peut-être pas très bon caractère :

159

Il s'emportait pour un rien.
Mais au bureau, ses confrères
Le trouvaient un homme très bien
Très bien... très bien... très bien...

Refrain

T'as pas profité de ta chance
Mon ami, mon ami
Tu avais trop de confiance
C'est fini, c'est fini
T'avais une femme merveilleuse
Si jolie, si jolie
T'as pas su la rendre heureuse
T'es tout seul, elle est partie...

3

Monsieur Lenoble se mouche
Met sa chemise de nuit
Ouvre le gaz et se couche
Demain, tout sera fini
Et monsieur Lenoble pense
A celle qu'il adorait
Et monsieur Lenoble pense
A celle qu'il adorait...

Refrain

T'as pas profité de ta chance
Mon ami
Tu avais trop de confiance
C'est fini...
T'avais une femme merveilleuse
Si jolie...
T'as pas su la rendre heureuse
Tu avais trop de confiance...
Trop de confiance... trop de confiance
Confiance... Confiance...

1949

Paris

Paroles et musique de A. Bernheim

1

On se rappelle les chansons
Un soir d'hiver, un frais visage
La scène à marchands de marrons
Une chambre au cinquième étage
Les cafés-crèmes du matin
Montparnasse, le Café du Dôme
Les faubourgs, le Quartier latin
Les Tuileries et la Place Vendôme.

Refrain

Paris, c'était la gaieté, Paris
C'était la douceur aussi
C'était notre tendresse
Paris, des gamins, des artisans
Des camelots et des agents
Et des matins de printemps
Paris, l'odeur de ton pavé d'oies
De tes marronniers du bois
Je pense à toi sans cesse
Paris, je m'ennuie de toi, mon vieux
On se retrouvera tous les deux
Mon grand Paris.

2

Évidemment il y a parfois
Les heures un peu difficiles
Mais tout s'arrange bien, ma foi
Avec Paris, c'est si facile

Pour moi, Paris c'est les beaux jours
Les airs légers, graves ou tendres
Pour moi, Paris c'est mes amours
Et mon cœur ne peut se reprendre.

Refrain

Paris, tu es la gaieté, Paris
Tu es ma douceur aussi
Tu es toute ma tendresse
Paris, des gamins, des artisans
Des camelots et des agents
Et des matins de printemps
Paris, l'odeur de ton pavé d'oies
De tes marronniers du bois
Je pense à toi sans cesse
Paris, je m'ennuie de toi, mon vieux
On se retrouvera tous les deux
Mon grand Paris.

© Breton, 1949.

Bal dans ma rue

Paroles et musique de M. Emer

Refrain

Ce soir, il y a bal dans ma rue
Jamais encore, on n'avait vu
Une telle gaieté, une telle cohue
Il y a bal dans ma rue
Et dans le p'tit bistrot
Où la joie coule à flots
Sept musiciens perchés sur un tréteau
Jouent pour les amoureux
Qui tournent deux par deux
Le rire aux lèvres et les yeux dans les yeux
Ce soir, il y a bal dans ma rue.
Tout l'monde se sent un peu ému
Peut-être bien qu'on a trop bu
Il y a bal dans ma rue.

162

Couplet

Il était si beau que lorsqu'il me sortait
Aussitôt tout le monde sur lui se retournait
J'étais si fière de lui, j'ai pas pu résister
A ma meilleure amie, un jour j'l'ai présenté
Ils se sont plu immédiatement
Ils se sont mariés ce matin
Ils formaient un couple épatant
Et moi, j'étais témoin...
Et voilà pourquoi...

Refrain

Ce soir, il y a bal dans ma rue
Jamais encore on n'avait vu
Une telle gaieté, une telle cohue
Il y a bal dans ma rue
Et dans le p'tit bistrot
Où la joie coule à flots
Sept musiciens perchés sur un tréteau
Jouent pour les amoureux
Qui tournent deux par deux
Le rire aux lèvres et les yeux dans les yeux
Ce soir, il y a bal dans ma rue
Jamais encore on n'avait vu
Une telle gaieté, une telle cohue
Il y a bal dans ma rue...
...
... Y'a eu bal dans ma rue...

Le prisonnier de la Tour

Paroles de Francis Blanche   *Musique de Francis Blanche et G. Calvi*

Le prisonnier de la Tour
S'est tué ce matin
Grand-mère
Nous n'irons pas à la messe demain

Il s'est jeté de la Tour
En me tendant les mains
Grand-mère
Il m'a semblé que j'avais du chagrin

Si le roi savait ça, Isabelle
Isabelle, si le roi savait ça
A la robe de dentelle
Vous n'auriez plus jamais droit
Isabelle, si le roi savait ça

Le prisonnier de la Tour
Était mon seul ami
Grand-mère
Nous n'irons pas à la messe aujourd'hui
Il était mon seul amour
La raison de ma vie
Grand-mère
Et ma jeunesse est éteinte avec lui

Si le roi savait ça, Isabelle
Isabelle, si le roi savait ça
A la robe de dentelle
Vous n'auriez plus jamais droit
Isabelle, si le roi savait ça

Le prisonnier de la Tour
Chaque jour m'attendait
Grand-mère
Nous n'irons plus à la messe jamais
C'est un péché que l'amour
Et le monde est mal fait
Grand-mère
On a tué mon amant que j'aimais

Si le roi savait ça, Isabelle
Isabelle, si le roi savait ça
A la robe de dentelle
Vous n'auriez plus jamais droit
Isabelle, si le roi savait ça

164

Le prisonnier de la Tour
N'aura pas de linceul
Et rien
Rien qu'un trou noir où s'engouffrent les feuilles
Mais moi j'irai chaque jour
Pleurer sous les tilleuls
Et rien
Pas même le roi n'empêchera mon deuil

Si le roi savait ça, Isabelle
Il ne pourrait que pleurer avec toi
Car il aimait une belle
Qui n'était pas pour un roi
Et la belle, Isabelle, c'était moi...

Pleure pas

Paroles de H. Contet   *Musique de A. Barelli*

Pleure pas
T'as les yeux trop beaux pour ça
Pleure pas
Ou bien moi, je pleure avec toi
Pleure pas
Mon pauvre grand, j'peux pas voir ça !
Tais-toi
T'as le cœur qui m'éclate dans les bras
Mon amour ! Mon amour !
Parle-moi !
Raconte-moi !
Et d'abord à mon tour
Tu vas voir, je pleure mieux que toi !
Pleure pas
T'as les yeux trop beaux pour ça
Pleure pas
Quand tu pleures, je suis sur ma croix
Tu vois,

Tu me fais mal, et t'as pas le droit
Pleure pas! Pleure pas!...

Mon grand bonhomme, mais qu'est-ce qui se passe?
Tu n'as pas le cœur à la même place...
Je le vois bien...
Et si tu pleures, qu'est-ce que je vais faire?
T'as du chagrin
Mon Dieu! Misère!
Et je n'y peux rien
Pleure pas
T'as les yeux trop beaux pour ça
Pleure pas
Souris-moi au moins une fois... une fois...
Et après t'as tous les droits
Voilà!...
Tu as dit ce qu'il ne fallait pas...
Mon amour! Mon amour!
C'est donc ça...
Tu ne m'aimes plus
On n'avait qu'un amour
Et ton cœur l'a perdu
Pleure pas
On change tout
Ça vient, ça va...
Pleure pas
Tu verras, tout s'arrangera
Pourquoi?
Mais pourquoi? Puisque tu vois...
Je pleure pas, moi!
Je pleure pas...

L'orgue des amoureux

Paroles de Francis Carco   *Musique de Varel et Bailly*

1

Un vieil orgue de Barbarie
Est venu jouer l'autre jour
Sous ma fenêtre, dans la cour
Une ancienne chanson d'amour
Et pour que rien, rien ne varie
Amour rimait avec toujours
En écoutant cette romance
Qui me rappelait le passé
Je crus que j'en avais assez
Mais comme hélas, tout recommence
Tout hélas a recommencé
Tout hélas a recommencé.

Refrain

Je t'ai donné mon cœur
Je t'ai donné ma vie
Et mon âme ravie
Malgré ton air moqueur
Reprenons tous en chœur
Est à toi pour la vie

2

C'est pourtant vrai lorsque j'y pense
Que je l'aimais éperdument
Et que jamais aucun amant
Ne m'a causé plus de tourments
Mais voilà bien ma récompense
D'avoir pu croire en ses serments
Il a suffi d'une aventure
Plus que banale en vérité
Pour qu'un beau soir sans hésiter
Il obéît à sa nature
Je ne l'avais pas mérité
Je ne l'avais pas mérité.

Refrain

Je t'ai donné mon cœur
Je t'ai donné ma vie
Et mon âme ravie
Malgré ton air moqueur
Reprenons tous en chœur
Est à toi pour la vie

3

Que pouvons-nous contre nous-mêmes
Chacun de nous suit son chemin
C'est le sort de tous les humains
Mais ceux qui vont main dans la main
En se disant tout bas « je t'aime »
Devraient songer aux lendemains
Sur une triste ritournelle
Dont l'écho s'est vite envolé
L'orgue à la fin s'en est allé
Et pardonnant à l'infidèle
J'ai chanté pour me consoler
J'ai chanté pour me consoler.

Refrain

Je t'ai donné mon cœur
Je t'ai donné ma vie
Et mon âme ravie
Malgré ton air moqueur
Reprenons tous en chœur
Est à toi pour la vie
Je t'ai donné mon cœur, je t'ai donné ma vie.

© Breton, 1949.

Pour moi tout' seule

Paroles de F. Monod   *Musique de G. Lafarge et M. Philippe Gérard*

1

Des murs fanés
Des jours sans joie
Rideau passé
Un lit trop froid
Un cœur par-ci
Un cœur par-là
Et des soucis
Des embarras...
Heureusement l'on dort...

Refrain

Pour moi tout' seule
La nuit vient de tomber
Pour moi tout' seule
Le rêve a commencé
Il finira demain matin
Je le sais bien
Mais je suis bien.
Bien, bien, bien...
... Je me parle tout bas
... Ne me dérangez pas !

2

Huit heures, un tiret
Un sale boulot
Les traits tirés
Un sale bistrot
Un sale hiver
Un sale métro
Un fait divers
Dans les journaux...
Heureusement l'on dort...

Pour moi tout' seule
La nuit vient de tomber
Pour moi tout' seule
Le rêve a commencé
Il finira demain matin
Je le sais bien
Mais je suis bien.
Bien, bien, bien...
... Je me parle tout bas
... Ne me dérangez pas !

3

De la chaleur
Dans mon hiver
Un nom qui chante
Dans ma maison
Un cœur par-ci
Un cœur par-là
Plus de soucis
Plus d'embarras...

Refrain

... Pour moi tout' seule
L'amour vient d'arriver
Pour moi tout' seule
Le rêve a commencé
Qu'arrivera-t-il demain matin
Je n'en sais rien
Mais je suis bien.
Bien, bien, bien...
... Et je l'aime tout bas...
... Ne nous dérangez pas !

Tu n'as pas besoin de mes rêves

Paroles d'Edith Piaf   *Musique d'Edith Piaf et M. Monnot*

1

Ma tête c'est une boîte à rêver
En plein milieu y'a une échelle
C'est là que je faisais monter
Tous les hommes qui me plaisent
Sans s'méfier ils montaient très haut
Évidemment j'tenais l'échelle
Aussitôt que je la lâchais
Alors ils retombaient de haut
Tout était à recommencer
Oui, mais les choses ont bien changé.

Refrain

Car toi tu n'as pas besoin de mes rêves
Pour te faire aimer
Tu ris sitôt que le soleil se lève
Et je n't'ai jamais vu pleurer
Pour un rien tu chantes à tue-tête
Tu chantes faux évidemment
Mais tu le fais si gentiment
Que mon cœur en reste tout bête
Car toi, tu n'as pas besoin de mes rêves
Pour te faire aimer
Tu ris sitôt que le soleil se lève
Et tu n'm'as jamais fait pleurer.

2

Oh oui! les choses ont bien changé
J'ai dû grimper sur mon échelle
Mais j'étais la seule à monter
Car lui d'en bas me regardait
Maintenant je suis tout en haut
Chéri surtout lâche pas l'échelle
C'est moi qui tomberais de haut
Et je n'sais pas c'que j'deviendrais

Tu marches sur mes ambitions
Au diable mon imagination.

Refrain

Car toi tu n'as pas besoin de mes rêves
Pour te faire aimer
Tu ris sitôt que le soleil se lève
Et je n't'ai jamais vu pleurer
Si par hasard je fais la tête
C'est fou c'que ça peut t'amuser
Tell'ment que j'en suis désarmée
Et mon cœur en reste tout bête
Car toi tu n'as pas besoin de mes rêves
Pour te faire aimer
Tu ris puis contre toi tu me soulèves
Et je perds toute ma dignité.

© Breton, 1949.

La fête continue

Paroles et musique de M. Emer

Refrain

La fête bat son plein, musique et manège
Nougats, carabin's, voyante, femme nue
Du matin au soir c'est un long cortège
Chansons, balançoires, la fête continue.

1

A l'étage au d'ssous y'a des goss's qui braillent
Le père est malade, la mère est partie
Il fout des taloches à tout' la marmaille
Mais les bruits d' la rue couvrent tous leurs cris
Au-d'ssus deux jeunes gens, faut voir comme ils s'aiment
Oui mais leurs parents ne veul'nt rien savoir
Ils ont décidé qu'ils s'aim'raient quand même
Puis qu'ils se tueraient et c'est pour ce soir.   *(Au refrain)*

2

Plus haut c'est un' veuv', plus rien n'l'intéresse
Ell' n'avait qu'un fils, c'était tout' sa vie
Il a disparu emportant la caisse
Depuis ce temps-là, ell' pleur' jour et nuit
En fac' les p'tits vieux qui sont bien aimables
Ont perdu leur fill' depuis vingt-cinq ans.
Ils n'ont qu'un' marott' : fair' tourner les tables
« Marie es-tu là ?... » et ils sont contents.   *(Au refrain)*

3

Voilà qu'au carr'four pass' un' longu' voiture
Un cycliste arriv' qui n'avait rien vu
Un marchand d'journaux : « C'est p't'être un' fracture »
L'ambulanc' l'emmène, la fêt' continue.
Et moi comm' tout l'mond', j'assiste à ces drames,
Mais je ferm' les yeux, j'pense à mon bonheur
Nous nous somm's donnés, tous deux, corps et âme,
On est trop heureux... pour avoir du cœur.

Dernier refrain

La fête bat son plein, musique et manège
Baisers, carabin's, je t'aime, femme nue
Amour et nougat quittons le cortège
Chéri rentrons vite, la fête continue
Chansons, balançoires, la fête continue.

1950

Le ciel est fermé

Paroles de H. Contet   *Musique de M. Monnot*

Fatigué des gens de la terre
Le Bon Dieu, qui est surmené,
Réfléchit entre deux mystères,
Et décida de démissionner.
Il éteignit quelques étoiles,
Ferma le ciel de haut en bas,
Et d'un nuage, fit une voile
Qui prit le vent et qui l'emporta.

Et voilà le soleil de travers...
Tous les hommes qui marchent la tête en bas...
Et la terre qui s'enroule à l'envers...
Et la mer qui s'embête et s'en va...
Mais les prières...
Les prières continuent à monter
Car tous les hommes...
Tous les hommes continuent à prier...

Et c'est là qu'elles sont embêtées
Les prières qui n'ont rien demandé...
Et c'est là qu'on les voit faire la queue,
Les prières qui attendent le Bon Dieu...
Alors, comme elles n'ont rien à faire
Les prières,
Elles se font des confidences :
— Vous venez pour quoi, vous ?
— Moi, je viens de la part d'un dénommé Roméo, et
d'une certaine Juliette...
— Qu'est-ce qu'on leur fait comme ennuis, sur cette
terre ?... On veut pas les laisser s'aimer tranquilles ?!...
Pas commode d'arranger leur histoire... Et vous ?

175

— Moi, pour un gars qu'a de gros ennuis avec son percepteur... J'vois d'ailleurs pas ce que j'peux faire pour lui! Mpfff!... Enfin...

— Et vous?

— Moi, secret professionnel!

— Et vous, là-bas?

— Moi, ah! Je viens de la part d'un fou! Enfin, d'un poète... C'est la même chose! D'abord, ce qu'il demande avec la terre, c'est impossible! Et puis, prêcher la bonté, ça fait démodé...

— Racontez-nous! C'est peut-être drôle?!

— Si vous voulez! De toute façon, ça changera jamais rien! Alors, voilà:

«Je sais bien que je vous dérange
Mais voilà, j'ai besoin de vous!
S'il vous plaît, prêtez-moi des anges!
Il en faudrait un petit peu partout...
Pour le soleil... un par personne!
Et pour l'amour... Oh! S'il vous plaît!
Tout plein d'amour aux mains des hommes
Pour qu'ils en fassent de grands bouquets.»

Et voilà le Bon Dieu revenu
Le tonnerre a perdu son emploi
Le soleil est passé par-dessus
Et voilà que la terre marche droit.
Ouvre les portes
Que l'on porte
Le soleil dans les blés
Que la terre,
Toute la terre
Tourne enfin sans trembler
Et l'amour a poussé dans les champs
Et les hommes le cueillaient en chantant
Les amants ne mourraient plus jamais
C'est pour ça que tout le monde s'aimait...

Quel dommage pour les filles, les garçons
Que tout ça ne soit qu'une chanson...

© Breton, 1950.

La p'tite Marie

Paroles d'Edith Piaf   *Musique de M. Monnot*

Tout comme je traversais l'avenue
Quelqu'un s'est cogné dans ma vue
Et qui m'a dit à brûle-pourpoint :
« Vous connaissiez la p'tite Marie,
Si jeune, et surtout si jolie ?
Ben, elle est morte depuis ce matin… »
« Mais comment ça ? C'est effroyable ! »
« C'est pire que ça : c'est incroyable ! »
« Hier encore… et aujourd'hui… »
« Eh oui, voilà… Tout est fini… »
Alors là j'ai pensé à nous
Aux petites histoires de rien du tout
Aux choses qui prennent des proportions
Rien que dans notre imagination
C'est pas grand-chose, un grand amour
Ah non, vraiment, ça ne pèse pas lourd
Pour peu qu'on se quitte sur une dispute
Et que la fierté entre dans la lutte
Qu'on s'en aille chacun de son côté
R'garde un peu ce qui peut t'arriver…

Je la revois la p'tite Marie
Mon Dieu, comme elle était jolie
Y'a des coups vraiment malheureux
Elle avait tout pour être heureuse
Bien sûr, elle est pas malheureuse…
Mais lui qui reste, ça c'est affreux
Qu'est-ce qu'il va faire de ses journées
Et de toutes ses nuits, et de ses années ?
Hier encore… et aujourd'hui…
Leur belle histoire, elle est finie
Alors là moi je pense à nous
Aux p'tites histoires de rien du tout
Aux choses qui prennent des proportions
Rien que dans notre imagination
Comment t'ai-je quitté ce matin ?

177

On a voulu faire les malins
On s'est quitté sur une dispute
Et on a joué à cœur qui lutte
Alors t'es parti de ton côté
Pourvu qu'il n'te soit rien arrivé...

Mon Dieu, ayez pitié de moi
Demandez-moi n'importe quoi
Mais lui, surtout, laissez-le-moi...

Oh, mon chéri, tu étais là...
Je parlais seule, comme tu le vois...
Mon amour, prends-moi dans tes bras
Non... ne dis rien... C'est ça, tais-toi
Tu te souviens d'la p'tite Marie?
La gosse qui aimait tant la vie...
Ben, elle est morte depuis ce matin
Oui, comme tu dis, c'est effroyable...
C'est pire que ça, c'est incroyable...
Serre-moi plus fort tout contre toi...
Chéri... comme je suis bien dans tes bras.

Le chevalier de Paris

Paroles de A. Vannier *Musique de M. Philippe Gérard*

1

Le grand chevalier du cœur de Paris
Se rappelait plus du goût des prairies
Il faisait la guerre avec ses amis
Dedans la fumée
Dedans les métros
Dessus les pavés
Dedans les bistrots
Il ne savait pas qu'il en était saoul
Il ne savait pas qu'il dormait debout
Paris le tenait par la peau du cou.

Refrain

Ah ! Les pommiers doux
Rondes et ritournelles
J'ai pas peur des loups
Chantonnait la belle
Ils ne sont pas méchants
Avec les enfants
Qu'ont le cœur fidèle
Et les genoux blancs...

2

Sous un pommier doux il l'a retrouvée
Croisant le soleil avec la rosée
Vivent les chansons pour les Bien-aimées
Je me souviens d'elle au sang de velours
Elle avait des mains qui parlaient d'amour
Et tressait l'argile avec les nuages
Et pressait le vent contre son visage
Pour en exprimer l'huile des voyages.   *(Au refrain)*

3

Adieu mon Paris, dit le chevalier
J'ai dormi cent ans, debout sans manger
Les pommes d'argent de mes doux pommiers
Alors le village a crié si fort
Que toutes les filles ont couru dehors
Mais le chevalier n'a salué qu'elle
Au sang de velours, au cœur tant fidèle
Chevalier fera la guerre en dentelles.   *(Au refrain)*

Il y avait

Paroles de Charles Aznavour   *Musique de P. Roche et Charles Aznavour*

Il y avait un garçon qui vivait simplement
Travaillant dans le faubourg
Il y avait une fille qui rêvait simplement

En attendant l'amour
Il y avait le printemps
Le printemps des romans
Qui passait en chantant
Et cherchait deux cœurs troublants
Pour prêter ses serments
Et en faire des amants

Il y a eu un moment merveilleux
Lorsque leurs regards se sont unis
Il y a eu ces instants délicieux
Où sans rien dire ils se sont compris
Il y a eu le destin
Qui a poussé le gamin
A lui prendre la main
Il y a eu la chaleur
La chaleur du bonheur
Qui leur montait au cœur

Il y avait cette chambre meublée
Aux fenêtres donnant sur la cour
Il y avait ce couple qui s'aimait
Et leurs phrases parlaient de toujours
Il y avait le gamin
Qui promenait sa main
Dans les cheveux de lin
De la fille aux yeux rêveurs
Tandis que dans leur cœur
S'installait le bonheur

Il y a eu ces deux corps éperdus
De bonheur de joies sans pareils
Il y a eu tous les rêves perdus
Qui remplaçaient leurs nuits sans sommeil
Il y a eu le moment
Où soudain le printemps
A repris ses serments
Il y a eu le bonheur
Qui s'est enfui en pleurs
D'avoir brisé deux cœurs

Il y avait un garçon qui vivait simplement
Travaillant dans le faubourg
Il y avait une fille qui pleurait en songeant
A son premier amour
Il y avait le destin
Qui marchait son chemin
Sans s'occuper de rien
Tant qu'il y aura des amants
Il y aura des serments qui ne dureront
[qu'un printemps...

Il fait bon t'aimer

Paroles de J. Plante   *Musique de N. Glanzberg*

1

Un jour que j'avais du chagrin
Tu l'as fait voler en éclats
Prenant mes larmes dans tes mains
T'as dit : «T'es trop belle pour ces bijoux-là!»
Pour toi j'ai appris à sourire
Et dès ce jour-là j'ai compris
Qu'on puisse avoir peur de mourir
Quand on connaît déjà le paradis...

Refrain

Il fait si bon t'aimer
T'as l'air d'être fait pour ça
Pour être blotti, les yeux fermés
La tête au creux de mes bras
Ta lèvre appelle si fort mes baisers
Je n'ai pas besoin d'me forcer
J'n'ai qu'à m'laisser bercer
Et tout devient léger
Il fait si bon t'aimer.

2

Auprès de toi je n'ai plus peur
Je me sens trop bien à l'abri
T'as fermé la porte au malheur
Il n'entrera plus, t'es plus fort que lui
Et quand par les rues je m'en vais
Je porte ma voix dans les yeux
Comme si tes baisers me suivaient
Et que les gens se retournaient sur eux.

Refrain

Il fait si bon t'aimer
T'as l'air d'être fait pour ça
Pour être blotti, les yeux fermés
La tête au creux de mes bras
Ta lèvre appelle si fort mes baisers
Je n'ai pas besoin d'me forcer
J'n'ai qu'à m'laisser bercer
Et tout devient léger
Il fait si bon t'aimer...

C'est un gars

Paroles de Charles Aznavour   *Musique de P. Roche*

1

Sous mes pieds, mes semelles se dérobent
On voit le jour à travers ma robe
Mon corsage est tout rapiécé
Mes effets très fatigués
Qu'importe ce qu'on dit à la ronde
Je me fous du reste du monde
J'ai comme envie de rire et de chanter
C'est pour ce qui m'est arrivé :

Refrain

C'est un gars qu'est entré dans ma vie
C'est un gars qui m'a dit des folies :
« Tu es jolie, tu es jolie »
On ne me l'avait jamais dit...
C'est un gars qui ressemblait à un ange
C'est un gars qui parlait comme les anges
« Tu es jolie, tu es jolie »
J'en suis tout étourdie...

2

Je vivais depuis mon enfance
Dans les rues noires de l'ignorance
Soudain, tout s'est illuminé
Mon cœur se mit à chanter
C'est beau l'amour qui se promène
Quand un beau gars en tient la chaîne
On voudrait rester prisonnier
Rien que pour contempler son geôlier...

Refrain

C'est un gars qu'est entré dans ma vie
C'est un gars qui m'a dit des folies :
« Tu es jolie, tu es jolie »
On ne me l'avait jamais dit...
C'est un gars qui ressemblait à un ange
C'est un gars qui parlait comme les anges
« Tu es jolie, tu es jolie »
« Veux-tu de moi pour la vie ?... »
... « Oui ! »

© Breton, 1950.

C'est d'la faute à tes yeux

Paroles d'Edith Piaf *Musique de R. Chauvigny*

1

J'avais tant d'amour pour un homme
Il en avait si peu pour moi
C'est peu de chose la vie, en somme
Je l'ai tué, tant pis pour moi...

Refrain

Tout ça... C'est d'la faute à ses yeux
Aux tiédeurs des matins
A son corps près du mien
Tout ça... C'est d'la faute aux beaux jours
C'est d'la faute à l'amour
Le ciel était trop bleu...

2

L'avocat qui prit ma défense
Conta notre roman d'amour
Et pour prouver mon innocence
Il en salit les plus beaux jours...

Refrain

Tout ça... C'est d'la faute à tes yeux
Aux tiédeurs des matins
A ton corps près du mien
Tout ça... C'est d'la faute aux beaux jours
C'est d'la faute à l'amour
Mon ciel était trop bleu...

3

Le juge avait un air sévère
Ses yeux n'avaient pas d'horizon
D'une voix grave et sans colère
M'a condamnée à la prison.

184

Refrain

Tout ça... C'est d'la faute à mes yeux
Ils ont vu dans les tiens
Que dansait mon chagrin
Tout ça... C'est d'la faute aux beaux jours
Et j'ai vu mon amour
Pleurer sur mon ciel bleu...

1951

Dans tes yeux

De l'opérette *La p'tite Lili* de Marcel Achard

Paroles d'Edith Piaf   *Musique de M. Monnot*

Refrain

Dans tes yeux
Je vois le reflet de Paris
Son ciel bleu
Son ciel gris
Dans tes yeux
Je vois des rires et des chagrins
Je vois les espoirs de chacun
C'est l'amour des filles
Le rêve des garçons
Dans tes yeux
Je vois le printemps de Paris
Son ciel bleu
Son ciel gris
La la la la

Alors, alors voilà pourquoi
Je suis amoureux fou de toi

Couplet

Quand tu chantes c'est la voix des chansons
Qu'accompagne un accordéon
Paris te ressemble
Vous êtes bien faits pour vivre ensemble   *(Au refrain)*

187

Rien de rien

De l'opérette *La p'tite Lili* de Marcel Achard

Paroles de Charles Aznavour *Musique de P. Roche*

Rien de rien...
Il ne se passe jamais rien pour moi
Je me demande pourquoi!
Rien! Rien! Rien!
Il ne se passe jamais rien!...
Rien de rien...
Il ne se passe jamais rien pour moi
Je me demande pourquoi!
Rien! Rien! Rien!
Il ne se passe jamais rien!...

Du matin à l'heure où je me couche
Tout ici est calme et banal
J'aimerais qu'y s'passe quèqu'chose de louche
De la prime ou du pas normal.

Rien de rien...
Il ne se passe jamais rien pour moi
Je me demande pourquoi!
Rien! Rien! Rien!
Il ne se passe jamais rien!...

Voici un couple qui murmure
Et dans une chambre veut se glisser...
Je devine une tendre aventure...
Mais ils vont chacun d'leur côté!

Rien de rien...
Il ne se passe jamais rien pour moi
Je me demande pourquoi!
Rien! Rien! Rien!
Il ne se passe jamais rien!...
Rien de rien...
Il ne se passe jamais rien pour moi

Je me demande pourquoi!
Rien!...
Il ne se passe jamais rien!...
Rien de rien...
Il ne se passe jamais rien pour moi
Je me demande pourquoi!
Rien! Rien! Rien!
Il ne se passe jamais rien!...

Deux hommes parlent à voix basse
Discutant pleins d'animation
Pour écouter, je change de place
Mais hélas je n'entends que «oui, non».

Rien de rien...
Il ne se passe jamais rien pour moi
Je me demande pourquoi!
Rien! Rien! Rien!
Il ne se passe jamais rien!...

Ce qu'y s'passe pas j'aimerais qu'ça s'passe
Que ça s'passe ne serait-ce que pour moi.
Comme ça je verrais ce qu'y s'passe
Et je pourrais dire qu'ça s'passe pas!

Rien de rien...
Il ne se passe jamais rien pour moi
Et je me demande pourquoi!
Rien...
Il ne se passe jamais rien!

La rue aux chansons

Paroles et musique de M. Emer

C'est la rue aux chansons
C'est la rue de la joie
Où dans toutes les maisons

Sans rimes, ni raison
L'on chante à pleine voix
Dès le lever du jour
Tout le monde est heureux
Et chacun à son tour
Dans le gris des faubourgs
Invente le ciel bleu
L'on n'y rencontre pas
Des amours malheureuses
On s'aime, on ne s'aime pas
On s'embrasse, on s'en va
On chante, et puis voilà
Vous, les désenchantés
Qui pleurez sans raison
Pour apprendre à chanter
Venez tous habiter
Dans la rue aux chansons

On se serrera
Un tout petit peu
Y'en a pour trois
Quand il y en a pour deux
Luxe et confort, ça nous est bien égal
Pas besoin de ça dans la rue aux cigales
(Reprendre du début)

Une enfant

Paroles de Charles Aznavour   Musique de Charles Aznavour et R. Chauvigny

Une enfant, une enfant de seize ans
Une enfant du printemps
Couchée sur le chemin...

Elle vivait dans un de ces quartiers
Où tout le monde est riche à crever
Elle avait quitté ses parents
Pour suivre un garçon, un bohème

Qui savait si bien dire «je t'aime»
Ça en devenait bouleversant
Et leurs deux cœurs ensoleillés
Partirent sans laisser d'adresse
Emportant juste leur jeunesse
Et la douceur de leur péché

Une enfant, une enfant de seize ans
Une enfant du printemps
Couchée sur le chemin...

Leurs cœurs n'avaient pas de saisons
Et ne voulaient pas de prison
Tous deux vivaient au jour le jour
Ne restant jamais à la même place
Leurs cœurs avaient besoin d'espace
Pour contenir un tel amour
Son présent comme son futur
C'était cet amour magnifique
Qui la berçait comme d'un cantique
Et perdait ses yeux dans l'azur

Une enfant, une enfant de seize ans
Une enfant du printemps
Couchée sur le chemin...

Mais son amour était trop grand
Trop grand pour l'âme d'une enfant
Elle ne vivait que par son cœur
Et son cœur se faisait un monde
Mais Dieu n'accepte pas les mondes
Dont il n'est pas le créateur
L'amour étant leur seul festin
Il la quitta pour quelques miettes
Alors sa vie battit en retraite
Et puis l'enfant connut la faim

Une enfant, une enfant de seize ans
Une enfant du printemps

Couchée sur le chemin
... morte!...
Ahaaa...

Le Noël de la rue

Paroles de H. Contet   *Musique de M. Heyral*

1

Petit bonhomme où t'en vas-tu
Courant ainsi sur tes pieds nus
Je cours après le Paradis
Car c'est Noël à ce qu'on dit...

Refrain

Le Noël de la rue
C'est la neige et le vent
Et le vent de la rue
Fait pleurer les enfants
La lumière et la joie
Sont derrière les vitrines
Ni pour toi, ni pour moi
C'est pour notre voisine
Mon petit, amuse-toi bien
En regardant, en regardant
Mais surtout, ne touche à rien
En regardant de loin...
Le Noël de la rue
C'est le froid de l'hiver
Dans les yeux grands ouverts
Des enfants de la rue.

2

Collant aux vitres leurs museaux
Tous les petits font le gros dos
Ils sont blottis comme des Jésus
Que sainte Marie aurait perdus...

Refrain

Le Noël de la rue
C'est la neige et le vent
Et le vent de la rue
Fait pleurer les enfants
Ils s'en vont reniflant,
Ils s'en vont les mains vides
Nez en l'air et cherchant
Une étoile splendide
Mon petit, si tu la vois
Tout en marchant, tout en marchant
Chauffes-y tes petits doigts
Tout en marchant bien droit
Le Noël de la rue
C'est au ciel de leur vie
Une étoile endormie
Qui n'est pas descendue...

Tous les amoureux chantent

Paroles de J. Jeepy　　　　　　　　　　　*Musique de M. Monnot*

Dans la rue
Tous les amoureux chantent
Tous les amoureux chantent
Des chansons de la rue
Par-dessus
Le soleil les inonde
Et la foule et le monde
Les noient dans la cohue

Dans la rue, Suzon avec Jean-Pierre
Chantent à leur manière
Des chansons de la rue
Elle est si blonde...
Aussi blonde qu'un rayon de soleil
Ses boucles vagabondent
Découpent sur le ciel

193

Des auréoles rondes
Et lui...
Un p'tit gars de chez nous
C'est tout
Ils n'ont pas quarante ans à eux deux
Vivent les amoureux de la rue

Dans la rue
Tous les amoureux chantent
Tous les amoureux chantent
Des chansons de la rue
Par-dessus
Le soleil les inonde
Et la foule et le monde
Les noient dans la cohue

Mais qu'y a-t-il dans la cohue
Dans la cohue de la rue
C'est Suzon qui court éperdue
Sans Jean-Pierre... Sans Jean-Pierre...
Éperdue...
Dans la rue
Suzon pleure, pleure son amour
Attention...
Autos, vélos klaxonnent
On sonne, on siffle, on crie Attention !
Un coup de freins...

Dans la rue
Tous les amoureux pleurent
Tous les amoureux pleurent
Dans la rue
Par-dessus
Le soleil et la ronde
La folle ronde
De monde qui rit
Car la cohue se moque des amoureux
Qui meurent
Qui meurent dans la rue...

Chante-moi

Paroles d'Edith Piaf   *Musique de R. Chauvigny*

J'ai dit au garçon qui chantait dans ma rue
Pour les cœurs perdus...
J'ai dit au garçon qui fouillait dans mon cœur
De sa voix de malheur :

Chante-moi des chansons d'amour
Chante-moi de jolies mélodies
Chante-moi le lever du jour
Chante-moi la chanson de la vie
Chante, chante mes nuits d'amour
Si tu peux, chante le bonheur
Chante aussi tous les mots d'amour
Pour que danse le chagrin de mon cœur...

Et la voix du garçon qui chantait dans ma rue
Pour les cœurs perdus...
A fouillé dans mon cœur pour trouver le bonheur
Alors, il a chanté...

La plus belle chanson d'amour
J'écoutais la jolie mélodie
Puis j'ai vu se lever le jour
Et l'amour illuminait ma vie
Il a chanté mes nuits d'amour
Il a même chanté le bonheur
Et l'amour faisant un détour
A chassé le chagrin de mon cœur...

Hymne à l'amour

Paroles d'Edith Piaf   *Musique de M. Monnot*

Le ciel bleu sur nous peut s'effondrer
Et la terre peut bien s'écrouler
Peu m'importe si tu m'aimes

Je me fous du monde entier
Tant que l'amour inondera mes matins
Tant que mon corps frémira sous tes mains
Peu m'importent les problèmes
Mon amour, puisque tu m'aimes...

J'irais jusqu'au bout du monde
Je me ferais teindre en blonde
Si tu me le demandais...
J'irais décrocher la lune
J'irais voler la fortune
Si tu me le demandais...
Je renierais ma patrie
Je renierais mes amis
Si tu me le demandais...
On peut bien rire de moi,
Je ferais n'importe quoi
Si tu me le demandais...

Si un jour la vie t'arrache à moi
Si tu meurs, que tu sois loin de moi
Peu m'importe, si tu m'aimes
Car moi je mourrai aussi...
Nous aurons pour nous l'éternité
Dans le bleu de toute l'immensité
Dans le ciel, plus de problèmes
Mon amour, crois-tu qu'on s'aime?...

... Dieu réunit ceux qui s'aiment!

Plus bleu que tes yeux

Paroles et musique de Charles Aznavour

1

Lorsque je lève les yeux
Je rencontre le ciel
Et je me dis : « Mon Dieu,

Mais c'est sensationnel
Tant de bleu »
Lorsque je lève les yeux
Je rencontre tes yeux
Et je me dis : « Mon Dieu,
C'est vraiment merveilleux
Tant de bleu. »

Refrain

Plus bleu que le bleu de tes yeux
Je ne vois rien de mieux
Même le bleu des cieux
Plus blond que tes cheveux dorés
Ne peut s'imaginer
Même le blond des blés
Plus pur que ton souffle si doux
Le vent même au mois d'août
Ne peut être plus doux
Plus fort que mon amour pour toi
La mer même en furie
Ne s'en approche pas
Plus bleu que le bleu de tes yeux
Je ne vois rien de mieux
Même le bleu des cieux

2

Si un jour tu devais t'en aller
Et me quitter
Mon destin changerait tout à coup
Du tout au tout.

Refrain

Plus gris que le gris de ma vie
Rien ne serait plus gris
Pas même un ciel de pluie
Plus noir que le noir de mon cœur
La terre en profondeur
N'aurait pas sa noirceur

Plus vide que mes jours sans toi
Aucun gouffre sans fond
Ne s'en approchera
Plus long que mon chagrin d'amour
Même l'éternité
Près de lui serait court
Plus gris que le gris de ma vie
Rien ne serait plus gris
Pas même un ciel de pluie

3

On a tort de penser, je sais bien,
Aux lendemains
A quoi bon se compliquer la vie
Puisqu'aujourd'hui...

Refrain

Plus bleu que le bleu de tes yeux
Je ne vois rien de mieux
Même le bleu des cieux
Plus blond que tes cheveux dorés
Ne peut s'imaginer
Même le blond des blés
Plus pur que ton souffle si doux
Le vent même au mois d'août
Ne peut être plus doux
Plus fort que mon amour pour toi
La mer même en furie
Ne s'en approche pas
Plus bleu que le bleu de tes yeux
Je ne vois que les rêves
Que m'apportent tes yeux...

© Breton, 1951.

Jezebel

Paroles de Charles Aznavour   *Musique de W. Shanklin*

Jezebel... Jezebel...
Ce démon qui brûlait mon cœur
Cet ange qui séchait mes pleurs
C'était toi, Jezebel, c'était toi.
Ces larmes transpercées de joie
Jezebel, c'était toi... Jezebel, c'était toi...

Mais l'amour s'est anéanti
Tout s'est écroulé sur ma vie
Écrasant, piétinant, emportant mon cœur
Jezebel... Mais pour toi
Je ferais le tour de la terre
J'irais jusqu'au fond des enfers
Où es-tu? Jezebel, où es-tu?

Les souvenirs que l'on croit fanés
Sont des êtres vivants
Avec des yeux de morts vibrant encore de passé
Mais mon cœur est crevé d'obsession
Il bat en répétant
Tout au fond de moi-même
Ce mot que j'aime
Ton nom...
Jezebel... Jezebel...

Mais l'amour s'est anéanti
Tout s'est écroulé sur ma vie
Écrasant, piétinant, emportant mon cœur
Jezebel... Mais pour toi
Je ferais le tour de la terre
J'irais jusqu'au fond des enfers
En criant sans répit
Jour et nuit
Jezebel... Jezebel...
JEZEBEL...

Télégramme

Paroles et musique de M. Emer

C'est un télégramme pour Marie Belage
Dans la cour, escalier B, cinquième étage
Troisième porte à gauche, deux marches à descendre
Frappez fort pour qu'elle puisse vous entendre.

Le p'tit facteur grimpe quatre à quatre
Une vieille demoiselle vient ouvrir
D'une voix dure et acariâtre
Elle dit merci puis se retire
Elle ouvre en tremblant la dépêche
En général, on n'aime pas ça
Elle lit tout haut, la gorge sèche
Puis elle relit dix fois tout bas
« Serai Orly — huit heures — deux mai —
Suis impatient — suis fou de joie —
Je vous adore plus que jamais —
Amour — baisers — signé — … François… »

Elle retourne vingt ans en arrière
Comme ils s'aimaient il y a vingt ans
Mais ses parents hélas, le refusèrent
Il n'avait pas un sou vaillant
« Je reviendrai fortune faite »
Lui a-t-il dit « je t'attendrai »
« Je veux aussi que tu promettes
Que tu ne m'oublieras jamais »
Il est parti — les mois, les années passent
Elle est toute seule devant la vie
Beauté, fraîcheur, jeunesse… tout s'efface
Et plus d'argent, donc plus d'amis…

Les voyageurs arrivant du Mexique
Ah le voilà! Comme il est grand!
Ses tempes grises lui donnent l'air poétique
Il est plus beau qu'il y a vingt ans
Elle est toute pâle et ses mains brûlent

Comme il bat fort son pauvre cœur
Il vient vers elle, il la bouscule
«J'vous d'mande pardon!... Dites-moi, porteur!
Je cherche une dame élégante et très belle
De grands yeux bleus, des cheveux blonds
Plutôt petite... Attendez! J'crois que c'est elle...
Ah! Non, ce n'est pas elle...
J'vous demande pardon!...»

Vous n'auriez pas vu une dame blonde —
Élégante — très belle —
Vous n'auriez pas vu une dame blonde —
Élégante — très belle —
Vous n'auriez pas vu...

Padam... padam...

Paroles de H. Contet   *Musique de N. Glanzberg*

Cet air qui m'obsède jour et nuit
Cet air n'est pas né d'aujourd'hui
Il vient d'aussi loin que je viens
Traîné par cent mille musiciens
Un jour cet air me rendra folle
Cent fois j'ai voulu dire pourquoi
Mais il m'a coupé la parole
Il parle toujours avant moi
Et sa voix couvre ma voix

Padam... padam... padam...
Il arrive en courant derrière moi
Padam... padam... padam...
Il me fait le coup du souviens-toi
Padam... padam... padam...
C'est un air qui me montre du doigt
Et je traîne après moi comme une drôle d'erreur
Cet air qui sait tout par cœur

Il dit : « Rappelle-toi tes amours
Rappelle-toi puisque c'est ton tour
Y'a pas d'raison pour qu'tu n'pleures pas
Avec tes souvenirs sur les bras... »
Et moi je revois ceux qui restent
Mes vingt ans font battre tambour
Je vois s'entrebattre des gestes
Toute la comédie des amours
Sur cet air qui va toujours

Padam... padam... padam...
Des « je t'aime » de quatorze-juillet
Padam... padam... padam...
Des « toujours » qu'on achète au rabais
Padam... padam... padam...
Des « veux-tu » en voilà par paquets
Et tout ça pour tomber juste au coin d'la rue
Sur l'air qui m'a reconnue

...
Écoutez le chahut qu'il me fait
...
Comme si tout mon passé défilait
...
Faut garder du chagrin pour après
J'en ai tout un solfège sur cet air qui bat...
Qui bat comme un cœur de bois...

1952

Notre-Dame-de-Paris

Paroles de E. Marnay   *Musique de M. Heyral*

Dans le Paris de Notre-Dame
De Notre-Dame-de-Paris
Y'a un clochard qu'en a plein le dos
De porter Notre-Dame sur son dos
Il se prend pour Quasimodo
Regarde en l'air, la vie qui grouille
Au lieu de faire des ronds dans l'eau
Tu peux pas vivre comme une grenouille
Moitié sur terre, moitié sur l'eau
Moi, je préfère rester là-haut

Dans le jardin de Notre-Dame
Où l'on se fait de bons amis
Y'a qu'à se promener chaque matin
Un peu de maïs au creux des mains
Les pigeons, moi, je les aime bien
Les péniches
Se fichent
Des pigeons de la Cité
Goélettes
Mouettes
Elles n'ont que ça dans l'idée

Oui, mais autour de Notre-Dame
Y'a des voyages à bon marché
Et ces petits coins où le bonheur
Empêche les maisons de pousser
On l'appelle «Marché aux fleurs»
Henri Quatre
Verdâtre

Aime sous son verre de gris
La vieille flèche
Qui lèche
Le plafond gris de Paris

Et toi, sous le pont de Notre-Dame
Regarde en l'air, tu comprendras
Que si tout le monde faisait comme toi
Dans ton pinna y'aurait de la pluie
Même les ponts, ça se construit
Car pour aller à Notre-Dame
De Notre-Dame jusqu'à Paris
Il a bien fallu se mettre au boulot
Et porter des pierres sur son dos
Pour passer par-dessus l'eau

Voilà pourquoi Paris s'enroule
S'enroule comme un escargot
Pourquoi la terre s'est mise en boule
Autour des cloches du parvis
De Notre-Dame-de-Paris...

Et ça gueule ça madame
Du film *Boum sur Paris*

Paroles d'Edith Piaf   *Musique de Gilbert Bécaud*

1

C'est haut comme ça...
Non... J'exagère...
Mettons, comme ça...
Enfin... à peu près ça !
Ça paie pas d'mine,
Mais nom d'un chien !
Ça tient d'la place
Ce bout de rien...

204

Et ça gueule, ça, madame
On n'entend qu'elle, dans la maison
Y'a pas, faut qu'elle se cherche des raisons
De ça, elle en fait tout un drame!
Et ça gueule, ça, madame
Elle me dit de toute sa hauteur:
«Faudrait pas croire que tu m'fais peur!»
Elle est crispée, elle tape du pied!
Elle sort ses griffes, elle ouvre ses yeux
Ça bouge, ça crie, c'est tout furieux
J'ai envie de la prendre dans mes bras
Et de la serrer tout contre moi...
Mais... ça gueule, ça, madame!
Moi, ça me fait rire, mais en dedans,
D'abord, je suis un gentleman,
Et c'est plus prudent!

2

Pour la calmer, je cherche un truc
Je me dis, voyons...
Je vais lui donner raison!
Et je lui dis: «Eh ben! C'est moi qui ai tort!»
«Ah! Tu l'avoues!» qu'elle dit.
Alors... tut-tut-tut...

Refrain

Et ça re-gueule, ça, madame
Même que tout valse dans la maison
Y'a pas, faut qu'elle cherche des raisons
De ça, elle en fait tout un drame.
Et ça gueule, ça, madame!
Elle m'arrive là, juste à mon cœur,
Alors, des fois, pour lui faire peur,
Je serre les poings, je lève la main...
Elle a un regard tellement surpris
Qu'on dirait que ses yeux sont punis!
Alors, bien sûr, j'ouvre les bras

Et elle se jette tout contre moi.
Et ça pleure, ça, madame
On cherche partout un grand mouchoir
Pour y cacher son désespoir
Qui fait peine à voir...
Je la console et je la mouche
Un peu après, j'embrasse sa bouche
Je la reprends tout contre moi
Et je l'enferme dans mes bras...
Elle se fait petite, petite...
Mais alors, toute petite...
Pour un peu, ça dirait «pardon»...
Oh! Mais c'est pas fier, ça, madame!
C'est tout de même une satisfaction
Lui faire admettre qu'elle a tort
Et que je suis l'plus fort...
«JACQUES!!! Tu viens, oui?!...»

Je t'ai dans la peau
Du film *Boum sur Paris*

Paroles de Jacques Pills   Musique de Gilbert Bécaud

Toi...
Toujours toi...
Rien que toi...
Partout toi...
Toi... toi... toi...
Toi...

Je t'ai dans la peau
Y'a rien à faire
Obstinément, tu es là
J'ai beau chercher à m'en défaire
Tu es toujours près de moi
Je t'ai dans la peau
Y'a rien à faire
Tu es partout sur mon corps

J'ai froid, j'ai chaud
Je sens la fièvre sur ma peau.

Après tout je m'en fous de ce qu'on peut penser
Je n'peux pas m'empêcher de crier
Tu es tout pour moi, j'suis intoxiquée
Et je t'aime, je t'aime à en crever.

Je t'ai dans la peau
Y'a rien à faire
Obstinément, tu es là
J'ai beau chercher à m'en défaire
Tu es toujours près de moi
Je t'ai dans la peau
Y'a rien à faire
Tu es partout sur mon corps
J'ai froid, j'ai chaud
Je sens tes lèvres sur ma peau.
...
Y'a rien à faire, j't'ai dans la peau...

Je hais les dimanches

Paroles de Charles Aznavour   *Musique de F. Véran*

Tous les jours de la semaine
Sont vides et sonnent le creux
Bien pire que la semaine
Y'a le dimanche prétentieux
Qui veut paraître rose
Et jouer les généreux
Le dimanche qui s'impose
Comme un jour bienheureux

Je hais les dimanches!
Je hais les dimanches!

Dans la rue y'a la foule
Des millions de passants

Cette foule qui coule
D'un air indifférent
Cette foule qui marche
Comme à un enterrement
L'enterrement d'un dimanche
Qui est mort depuis longtemps.

Je hais les dimanches !
Je hais les dimanches !

Tu travailles toute la semaine et le dimanche aussi
C'est peut-être pour ça que je suis de parti-pris
Chéri, si simplement tu étais près de moi
Je serais prête à aimer tout ce que je n'aime pas.

Les dimanches de printemps
Tout flanqués de soleil
Qui effacent en brillant
Les soucis de la veille
Dimanche plein de ciel bleu
Et de rires d'enfants
De promenades d'amoureux
Aux timides serments

Et de fleurs aux branches
Et de fleurs aux branches

Et parmi la cohue
Des gens, qui, sans se presser,
Vont à travers les rues
Nous irions nous glisser
Tous deux, main dans la main
Sans chercher à savoir
Ce qu'il y aura demain
N'ayant pour tout espoir

Que d'autres dimanches
Que d'autres dimanches

Et tous les honnêtes gens
Que l'on dit bien-pensants

Et ceux qui ne le sont pas
Et qui veulent qu'on le croie
Et qui vont à l'église
Parce que c'est la coutume
Qui changent de chemise
Et mettent un beau costume
Ceux qui dorment vingt heures
Car rien ne les en empêche
Ceux qui se lèvent de bonne heure
Pour aller à la pêche
Ceux pour qui c'est le jour
D'aller au cimetière
Et ceux qui font l'amour
Parce qu'ils n'ont rien à faire
Envieraient notre bonheur
Tout comme j'envie le leur
D'avoir des dimanches
De croire aux dimanches
D'aimer les dimanches
Quand je hais les dimanches...

© Breton, 1952.

Au bal de la chance

Paroles de J. Larue   *Musique de N. Glanzberg*

Le long de l'herbe
L'eau coule et fait des ronds
Le ciel superbe
Éblouit les environs
Le grand soleil joue aux boules
Avec les pommiers fleuris
Le bal, devant l'eau qui coule,
Rabâche des airs de Paris.

Danse, danse au bal de la chance
Danse, danse ma rêverie...

Les parasols sur la berge en gestes lents
Saluent d'une révérence

209

Les chalands.
Tandis qu'une fille danse
Dans les bras d'un marinier
Le ciel fait des imprudences
Mais l'amour n'est pas le dernier...

Danse, danse au bal de la chance
Danse, danse au ciel printanier...

Le vent tournant dans les feuilles des bosquets
Avec le chant des pinsons fait des bouquets
Mais elle n'écoute guère
Que les mots de ce garçon
Des mots d'amour si vulgaires
Qu'ils font rire au ciel les pinsons.

Danse, danse au bal de la chance
Danse, danse avec ma chanson...

Je pense encore à ce jour de l'an dernier
Sur mon épaule mon rêve est prisonnier
Cela n'a ni queue ni tête
Pourtant j'ai le cœur bien gros
Pour les marins en goguette
L'amour ça coule au fil de l'eau.

Danse, danse au bal de la chance
Danse, danse mon cœur d'oiseau...

Elle a dit

Paroles d'Edith Piaf   *Musique de Gilbert Bécaud*

Elle a dit : « Tu sais, nous deux, c'est fini !
A quoi ça sert de s'accrocher ?
Il faut savoir garder sa dignité
Et puis, j'aime pas voir un homme pleurer...
Il vaut mieux qu'on se quitte bons amis.

Comprends, aide-moi, et souris...»
Alors il a fait comme elle demandait:
Devant elle en partant il chantait.

La-la-la...

Elle a dit: «Tu sais, nous deux, c'est fini!
A quoi ça sert de s'accrocher?
Il faut savoir garder sa dignité
Et puis, j'aime pas voir un homme pleurer...»
Quand il s'est couché seul dans son grand lit
Alors d'un coup il a compris
Que ça serait plus dur qu'il ne le pensait.
Et tout seul dans son lit, il pleurait...

Ah-ah-ah...

Il a dit: «J'peux pas croire que c'est fini!
Je sens que je vais m'accrocher...
C'est très beau de garder sa dignité:
Et ça fait tellement de bien de pleurer
Quand je pense au jour qui va se lever,
Aux choses qu'il me faudra cacher,
Je sens que j'pourrai jamais m'habituer...»
Pour finir dignement, il s'est...

Aaaah-aaaah-aaaah...
Tout seul il pleure dans l'éternité...

1953

Bravo pour le clown

Paroles de H. Contet   *Musique de Louiguy*

Un clown est mon ami
Un clown bien ridicule
Et dont le nom s'écrit
En gifles majuscules
Pas beau pour un empire
Plus triste qu'un chapeau
Il boit d'énormes rires
Et mange des bravos

Pour ton nez qui s'allume
Bravo! Bravo!
Tes cheveux que l'on plume
Bravo! Bravo!
Tu croques des assiettes
Assis sur un jet d'eau
Tu ronges des paillettes
Tordu dans un tonneau
Pour ton nez qui s'allume
Bravo! Bravo!
Tes cheveux que l'on plume
Bravo! Bravo!

La foule aux grandes mains
S'accroche à ses oreilles
Lui vole ses chagrins
Et vide ses bouteilles
Son cœur qui se dévisse
Ne peut les attrister
C'est là qu'ils applaudissent
La vie qu'il a ratée!

Pour ta femme infidèle
Bravo! Bravo!
Et tu fais la vaisselle
Bravo! Bravo!
Ta vie est un reproche
Qui claque dans ton dos
Ton fils te fait les poches
Et toi, tu fais l'idiot
Pour ta femme infidèle
Bravo! Bravo!
Et tu fais la vaisselle
Bravo! Bravo!

Le cirque est déserté
Le rire est inutile
Mon clown est enfermé
Dans un certain asile
Succès de camisole
Bravos de cabanon
Des mains devenues folles
Lui battent leur chanson

Je suis roi et je règne
Bravo! Bravo!
J'ai des rires qui saignent
Bravo! Bravo!
Venez, que l'on m'acclame
J'ai fait mon numéro
Tout en jetant ma femme
Du haut du chapiteau
Bravo! Bravo! Bravo! BRAVO!

Johnny tu n'es pas un ange

Paroles de Francis Lemarque   *Musique de Les Paul*

Johnny tu n'es pas un ange
Ne crois pas que ça m'dérange
Jour et nuit je pense à toi
Toi, te souviens-tu de moi
Qu'au moment où ça t'arrange ?
Et quand revient le matin
Tu t'endors sur mon chagrin
Johnny, tu n'es pas un ange !

Johnny ! Johnny !
Si tu étais plus galant
Johnny ! Johnny !
Je t'aimerais toujours autant.

Johnny tu n'es pas un ange
Ne crois pas que ça m'dérange
Si tu me réveilles la nuit
C'est pour dire que tu t'ennuies
Que tu veux une vie de rechange
Mais quand revient le matin
Tu t'endors sur mon chagrin
Johnny, tu n'es pas un ange !

Johnny ! Johnny !
Si tu étais plus galant
Johnny ! Johnny !
Je t'aimerais tout autant.

Johnny tu n'es pas un ange
Entre nous, qu'est-ce que ça change
L'homme saura toujours trouver
Toutes les femmes du monde entier
Pour lui chanter ses louanges
Dès qu'il en sera lassé
Elles seront vite oubliées
Vraiment, vous n'êtes pas des anges.

Johnny! Johnny!
Depuis que le monde est né
Johnny! Johnny!
Il faut tout vous pardonner.

Ahhh! Johnny!...

Les amants de Venise

Paroles de J. Plante   *Musique de M. Monnot*

Elle lui disait: «On se croirait à Venise
Où les ruisseaux débordaient d'une eau grise...»
Comme il pleuvait... Comme il pleuvait...
Elle lui disait: «On se croirait en gondole
J'entends ton cœur qui joue sa barcarolle.»
Comme il pleuvait... Comme il pleuvait...

Ils étaient là, blottis dans leur roulotte
Avec la nuit et l'orage à la porte.

Elle lui disait: «On se croirait à Venise.»
Il répondait: «Mais on est à Venise!»
Comme ils s'aimaient... Comme ils s'aimaient...
Voici les feux scintillant par centaines
La jolie nuit bariolée de lanternes
Ferme les yeux...
Tu verras mieux...

Mais on ne voyait qu'un pauvre réverbère
Qui n'éclairait même pas leur misère
Et tout là-bas, au coin de la rue,
Une petite plaque d'un bleu pâli,
Où l'on voyait, écrit dessus:
«Porte d'Italie»...

La-la-la...

216

Heureuse

Paroles de R. Rouzaud　　　　　　　　*Musique de M. Monnot*

Heureuse comme tout
Heureuse malgré tout
Heureuse, heureuse, heureuse...
Il le faut !
Je le veux !
Mon amour, pour nous deux...

Heureuse d'avoir
Enfin une part
De ciel, d'amour, de joie.
Dans tes yeux
Dans tes bras
Heureuse comme tout
Heureuse n'importe où
Par toi !

Le meilleur et le pire nous le partageons
C'est ce qu'on appelle s'aimer pour de bon
Mais pour moi, désormais le pire
Serait de perdre le meilleur
D'être là près de toi
Et d'en pleurer de joie.

Heureuse comme tout
Heureuse malgré tout
Heureuse, heureuse, heureuse...
Il le faut !
Je le veux !
Mon amour, pour nous deux...

Heureuse demain
De tout et de rien
Pourvu que tu sois là
Tu verras, tu verras...
Heureuse comme tout
Heureuse jusqu'au bout
Pour toi...

217

Sœur Anne

Paroles et musique de M. Emer

Sœur Anne, ne vois-tu rien venir?

Je vois des soldats couverts d'armes
Tout prêts à mourir et à tuer
Partout je ne vois que des larmes
Le monde semble s'y habituer
Je vois, plus violente que la peste
La haine couvrir l'horizon
Les hommes se déchirent, se détestent
Frontières, mitrailleuses, prisons
L'amour qui n'a plus rien à faire
Viens de nous quitter à son tour
Sur terre il était solitaire
L'amour a besoin de l'amour.

Sœur Anne, ne vois-tu rien venir?

Je vois des enfants sans leur mère
Je vois des parents sans enfants
Et des paysans sans leurs terres
Je vois des terres sans paysans
Je vois des grandes maisons vides
Et de grands vides dans les maisons
Des gens au visage livide
Qui marchent sans chanter de chansons
Des hommes qui essaient de sourire
Des femmes au regard si peureux
Des vieux qui ne savent plus rire
Des jeunes qui sont déjà vieux.

Sœur Anne, ne vois-tu rien venir?

Je vois une grande lumière
Qui semble venir de très loin
Je vois un enfant et sa mère
Mon Dieu, qu'ils sont loin, qu'ils sont loin...

Voici qu'ils s'approchent de la terre
L'enfant a grandi, je le vois
Il vient partager nos misères
Déjà il apporte sa croix
Bientôt sa divine colère
Chassera les démons pour toujours
Bientôt reviendra sur la terre
La vie, la pitié et l'amour.

Sœur Anne, quand va-t-il revenir?...

Pour qu'elle soit jolie ma chanson
Du film *Boum sur Paris*
Duo : Edith Piaf/Jacques Pills

Paroles d'Edith Piaf   *Musique de Louiguy*

Il y a des chansons qui font un grand succès
C'est parce que la musique en est très populaire...

— «Quand il me prend dans ses bras...» ...Quelque
chose dans ce genre-là...

— Oui, voilà! C'est pas mal ça...

Il y a des chansons qui font un grand succès
C'est parce que les paroles ne sont pas ordinaires...

— «Et ça gueule ça, madame...»

— Tiens! J'ai entendu ça quelque part...

Il y a des chansons qui font un grand succès
C'est parce que l'interprète est extraordinaire.

— «C'est presque toujours ça...»

Mais la mienne n'a pas tout ça
Je vais vous expliquer pourquoi :

Pour qu'elle soit jolie ma chanson
Il faut avant tout être deux
Il y a bien sûr un garçon
Et une fille pour le rendre heureux
Si vous me prêtiez votre voix
Pour chanter avec moi
Cette chanson d'amour
Mais elle n'a rien d'original
C'est tout à fait normal
Qu'elle rime avec «toujours».

— Je regrette pour la chanson
Mais il y manque un je-ne-sais-quoi
Et vous pourrez dire au garçon
Que cette chanson n'est pas pour moi !
Je vois bien ce qu'il vous faut :
Un port et un matelot
Des bagarres dans un bar
Rien que des trucs sinistres...
Un pauv' type que l'on pend
Des gens qui parlent haut
Un monsieur distingué
Un accordéoniste...
J'ai même entendu dire
C'est par trop fantaisiste !
Que vous chantiez un clown...
Eh bien ! Bravo pour le clown !...

— Non ! Non, mais dites donc ! Vous m'engueulez !

Oh ! Excusez-moi !
Je me suis laissé un p'tit peu emporter...

— Alors, à votre avis, cette chanson sera pour moi ?

Mais oui !

— Eh ben ! Re-chantez-la-moi !...

Pour qu'elle soit jolie ma chanson
Il faut avant tout être deux
Il y a bien sûr un garçon
Et une fille pour le rendre heureux
Si vous me prêtiez votre voix
Pour chanter avec moi
Cette chanson d'amour
Mais elle n'a rien d'original
Tout compte fait, c'est pas mal
Qu'elle rime avec « toujours ».

Et une fille pour le rendre heureux
Voilà ! Je vous prête ma voix
Pour chanter avec vous
Cette chanson d'amour
Mais elle n'a rien d'original
Tout compte fait, c'est pas mal
Qu'elle rime avec « toujours ».

Qu'elle est donc jolie ma chanson
Car je la chante malgré moi
Et vous pourrez dire au garçon
Que cette chanson est bien pour moi !...

N'y va pas Manuel

Paroles et musique de M. Emer

1

Il n'avait que dix ans mais il était déjà
Bagarreur, insolent, plein d'violence
Il voulait être un dur comme au cinéma
Et partout c'est lui qui m'nait la danse
Il passait ses journées à courir dans les rues
Ne pensant qu'à se battre, à cogner
Sa mère, désespérée et qui n'en pouvait plus
Passait tout son temps à supplier.

Refrain

N'y va pas Manuel, n'y va pas
Y'a des choses dans la vie qu'on n'fait pas
Et plus tard tu le regretteras
N'y va pas, n'y va pas
Quand un jour enfin tu comprendras
Que vraiment t'as eu tort de faire ça
Il sera bien trop tard, n'y va pas
Manuel n'y va pas.

2

C'est maint'nant un Monsieur qui n'aime pas les agents
Il n'veut pas qu'on s'mêle de ses affaires
Pour avoir la bell' vie, il faut beaucoup d'argent
Et pour ça, y'a pas trent'six manières
Le travail, ça l'ennuie et puis c'est fatigant
Il s'débrouill' très bien sans trop d'efforts
Sa femm' qu'il gât' beaucoup, mais qui n'en d'mand'
                                               [pas tant
Lui répèt' tous les soirs, quand il sort.   *(Au refrain)*

3

Manuel n'écout' rien, car avec ses copains
Ce soir, il fait un coup magnifique
Ce sera le dernier, et dès demain matin
Il va fair' peau neuve en Amérique
D'un pas souple et léger, il s'en va tranquill'ment
Vers l'endroit où ils ont rendez-vous
Tout est calme et pourtant, il entend vaguement
Une voix qui vient l'on ne sait d'où   *(Al coda)*
N'y va pas Manuel, n'y va pas
Y'a des choses dans la vie qu'on n'fait pas
N'y va pas, n'y va pas
Attention Manuel, sois prudent,
N'y va pas, Manuel, n'y va pas
Attention Manuel, attention
Je te l'avais bien dit, Manuel, de ne pas y aller.

© Beuscher, 1953.

Et moi

Paroles et musique de M. Emer

Je ne savais pas prier
Je n'avais pas la manière
Si quelquefois je l'ai fait
C'était lorsque j'avais faim
Maintenant chaque matin
Je fais la même prière
Donnez-moi aujourd'hui
Son amour quotidien
Les arbres ne peuvent pas vivre sans la pluie
Les fleurs ne peuvent éclore dans la nuit
Sans eau les poissons d'or ne respireraient plus
Et moi... sans toi je suis perdue...
Sans brise le voilier ne pourrait jamais avancer
Sans la musique personne ne pourrait plus danser
Sans le soleil les oiseaux ne chanteraient plus
Et moi... sans toi je suis perdue...

Je n'ai ni foi ni loi
Quand tu es loin de moi
Tout est sombre et sans joie
... Sans toi...
Sans toi, tout semble amer
La terre est un enfer
Tu m'es plus nécessaire que l'air
Les blés pour se dorer ont besoin de lumière
Dieu pour être adoré a besoin de mystères
Le cœur des hommes sans amour ne battrait plus
Et moi... sans toi je suis perdue...
Le cœur des hommes sans amour ne battrait plus
Et moi... sans toi, je suis perdue...

© Warner-Chappell, 1953.

L'effet qu'tu m'fais

Paroles d'Edith Piaf   *Musique de M. Heyral*

Y'a des gens qui savent exprimer
La grandeur de leurs sentiments
Moi je n'ai aucune facilité
C'est une question d'tempérament

Je n'peux pas dire l'effet qu'tu m'fais
Mais vrai tu m'fais un drôle d'effet
Ça commence là, ça passe par là
Ça continue, et ça s'en va...
Je m'demande où, ça je n'sais pas
Mais ça revient, et ça remet ça
Il n'y a qu'un remède pour calmer ça
C'est quand tu me prends dans tes bras

T'as dans ta main ma ligne de chance
Et dans tes yeux, mes jours heureux
On peut bien dire que l'existence
A des moments si merveilleux
Que je m'demande si l'paradis
Quoi qu'on en dise est mieux qu'ici
Si j'pouvais dire l'effet qu'tu m'fais
Mais vrai tu m'fais un drôle d'effet

Si tu veux savoir mon impression
Notre amour c'est comme un peu d'blanc
C'est beau l'blanc, mais c'est salissant
Aussi j'y fais très attention

Je n'peux pas dire l'effet qu'tu m'fais
Mais vrai tu m'fais un drôle d'effet
Ça commence là, ça passe par là
Ça continue, et ça s'en va...
Je m'demande où, ça je n'sais pas
Mais ça revient, et ça remet ça
Il n'y a qu'un remède pour calmer ça
C'est quand tu me prends dans tes bras

Crois-tu vraiment qu'on a d'la chance
De nous aimer et d'être heureux
Y'a tant de gens dans l'existence
Qui voudraient bien être amoureux
T'as des façons de m'regarder
Vraiment t'as pas besoin d'parler
Et si j'te fais l'effet qu'tu m'fais
Ben vrai, on s'fait un drôle d'effet...

Cri d'amour

Paroles et musique de Varel et Bailly

C'est un long cri d'amour
Qui traverse les ondes
Qui vient du bout du monde
Et qu'on attend
C'est un long cri d'amour
Brisant la nuit des hommes
De ces hommes qui pleurent, pleurent tant
En passant
Il s'est penché sur nos pauvres tourments
En souriant
Il a touché nos cœurs tremblants
C'est un long cri d'amour
Un boul'versant poème
Et l'on entend
Je t'aime, t'aime tant

Nous avions perdu nos visages
A force de regarder par terre
A force d'avoir peur de l'orage
De compter les trous dans la terre
Mais ce soir tous les arbres dansent
Il nous vient une douce fraîcheur
Il nous vient un bonheur immense
L'ange noir a changé de couleur

225

C'est un long cri d'amour
Qui traverse les ondes
Qui vient du bout du monde
Et qu'on attend
C'est un long cri d'amour
Brisant la nuit des hommes
De ces hommes qui pleurent, pleurent tant
En passant
Il s'est penché sur nos pauvres tourments
En souriant
Il a touché nos cœurs tremblants
C'est un long cri d'amour
Un boul'versant poème
Et l'on entend
Je t'aime, t'aime tant.

Tous mes rêves passés

Paroles d'Edith Piaf   *Musique d'Edith Piaf et Marguerite Monnot*

Refrain

Tous mes rêves passés
Sont bien loin derrièr' moi
Nos larmes à venir
Je les vois devant moi
Qu'es-tu donc devenue
Fleur bleue de mes vingt ans
Fanée? Dam' que veux-tu
Mes rêves sont trop grands
Et toi fille au cœur sage
Que tes yeux étaient purs
Lequel sur ton passage
A pu te rendre impure?
Tous mes rêves passés
Sont loin derrière moi
Mais la réalité
Marche au pas devant moi.

Je me revois lorsque j'avais vingt ans
Que de chagrins j'ai dû faire à ma mère
Que de tourments et combien de misères
D'espoirs perdus emportés par le vent
Mais maintenant je n'ai plus d'ambition
J'ai dépensé toutes mes illusions
Suis revenue riche de souvenirs
Les souvenirs ça peut toujours servir.

2e refrain

Tous mes rêves passés
Sont bien loin derrièr' moi
Nos larmes à venir
Je les vois devant moi
Qu'es-tu donc devenue
Fleur bleue de mes vingt ans
Fanée ? Dam' que veux-tu
Mes rêves sont trop grands
Et quand sur mon passage
Passe un gars de vingt ans
Je revois mon visage
Et souris tristement
Tout comme une rengaine
Resteront pour longtemps
Accrochés à mes peines
Mes rêves de vingt ans.

1954

La goualante du pauvre Jean

Paroles de R. Rouzaud   *Musique de M. Monnot*

Esgourdez rien qu'un instant
La goualante du pauvre Jean
Que les femmes n'aimaient pas
Mais n'oubliez pas
Dans la vie y'a qu'une morale
Qu'on soit riche ou sans un sou
Sans amour on n'est rien du tout

Il vivait au jour le jour
Dans la soie et le velours
Il pionçait dans de beaux draps
Mais n'oubliez pas
Dans la vie on est peau d'balle
Quand notre cœur est au clou
Sans amour on n'est rien du tout

Il bectait chez les barons
Il guinchait dans les salons
Et lichait tous les tafias
Mais n'oubliez pas
Rien ne vaut une belle fille
Qui partage votre ragoût
Sans amour on n'est rien du tout

Pour gagner des picaillons
Il fut un méchant larron
On le saluait bien bas
Mais n'oubliez pas
Un jour on fait la pirouette
Et derrière les verrous
Sans amour on n'est rien du tout

Esgourdez bien jeunes gens
Profitez de vos vingt ans
On ne les a qu'une fois
Et n'oubliez pas
Plutôt qu'une cordelette
Mieux vaut une femme à son cou
Sans amour on n'est rien du tout

Et voilà mes braves gens
La goualante du pauvre Jean
Qui vous dit en vous quittant
Aimez-vous...

L'homme au piano

Paroles de J.-C. Darnal   *Musique de H. Henning et Terington*

Demandez à l'homme au piano
Au piano, au piano
De frapper à coups de marteau
Coups de marteau, coups de marteau
Qu'il frappe à tire-larigot
Larigot, juste ou faux
J'sais qu'ses doigts ne sont pas en bois
Mais quand il les cassera
On les fera remplacer...
Le principal c'est qu'il joue
Comme une machine à sous
Jusqu'au bout sans arrêt...

P't-être que ton cœur entendra
Un peu de tout ce fracas
Et qu'alors tu comprendras
Que le piano joue pour toi
Je dois chasser comme je peux
Le fantôme silencieux
Si le bonhomme fait du bruit

230

C'est que moi je lui crie
De frapper comme un sourd
Ça ne sonnera jamais plus faux
Que la chanson des mots
Qui parlaient de notre amour...

Demandez à l'homme au piano
Au piano, au piano
De frapper à coups de marteau
Coups de marteau, coups de marteau
Pour casser dans mon cerveau
Mon amour en morceaux
Même s'il ne lui reste plus qu'un doigt
Qu'il tape avec les bras
Après tout, moi j'm'en fous
Le principal c'est qu'il joue
Comme une machine à sous
Jusqu'au bout, jusqu'au bout...

Demandez à l'homme au piano
Au piano, au piano...
... au piano...

Mea culpa

Paroles de M. Rivgauche   *Musique de H. Giraud*

J'ai péché par orgueil
De t'avoir tout à moi
Dans un simple clin d'œil
Mea culpa !

J'ai péché par envie
De me donner à toi
En te donnant ma vie
Mea culpa !

Et puis par gourmandise
Illuminée par l'éclat de tes yeux

J'ai vu ta bouche et je me sentais grise
Car je buvais du feu

J'ai péché par paresse
Quand j'ai connu tes bras
Berceau de mes caresses
Mea culpa!

Que ceux qui n'ont jamais péché
Me jettent la première pierre
Que ceux qui n'ont jamais aimé
Me refusent une prière

J'ai péché par colère
Contre toi, contre moi
Contre toute la terre
Mea culpa!

J'ai péché par luxure
Chaque soir dans tes bras
Mais mon âme était pure
Mea culpa!

Et puis par avarice
Je t'ai caché dans le fond de mon cœur
Pour mieux t'y adorer avec délice
A l'abri des voleurs

Ainsi donc, tu le vois
J'ai péché les sept fois
Rien qu'à cause de toi
Mea culpa!

Mais un jour
Si tu me le demandais
Je recommencerais
Mea culpa! Mea culpa!

Avec ce soleil

Paroles de J. Larue   *Musique de M. Philippe Gérard*

Avec ce soleil on avait envie
De ne pas parler
De boire de la vie
A petites goulées
Sous le ciel superbe
Le long du talus, mâchant un brin d'herbe
Et jupe collée, elle regardait
D'un air triomphant
Ce jeune homme imberbe
Ou encore presqu'enfant
Qui la désirait
Il aurait fallu presque rien, peut-être
Un geste de lui
Un sourire d'elle qui lui dise «viens»
Il aurait fallu presque rien, peut-être
Qu'un oiseau s'enfuie
Avec un bruit d'ailes pour que tout soit bien...

Pour que par-dessus le toit de l'usine
Le long des murs gris
Pour que par-dessus la route voisine
Et ses pavés gris
Pour que par-dessus toutes les collines
Pour que par-dessus toutes les forêts
Pour que monte au ciel sans cloches et sans noces
Un amour de gosses
Qui purifierait...
Mais c'étaient déjà deux enfants durcis
Qui ne croyaient plus d'avoir à se dire
Que les mots des grands...
Que la vie déjà, broyait sans merci
Qui ne savaient plus ni rêver, ni rire
Cœur indifférent...

Et ce jour encore
Le long du talus

Les coquelicots avec les bleuets
En vain attendirent
Une main cruelle
Qui les cueillerait...

Enfin le printemps

Paroles de R. Rouzaud   *Musique de M. Monnot*

Vise mon Jules
Cette crapule
Qui nous tombe sur les bras
Depuis le temps
Qu'on l'attend
Comme une bombe, le voilà
Le voilà le printemps
Tout fleuri de lilas
Qui rapplique en dansant
En dansant la java
Le voilà ce voyou
Au son d'l'accordéon
Qui court le guilledou
En poussant la chanson
Entends comme ça chahute
Dans tous les palpitants
L'hiver se tire des flûtes
Enfin le printemps...

Ne fais pas la tête
Tu serais bien bête
De te faire du mouron
Quand sur toute la terre
Flotte un petit air
De révolution
J'ai sorti pour toi
Ma robe de soie
Mes colifichets
Pour dormir sur l'herbe
En écoutant tinter les muguets...

Vise mon Jules
Cette crapule
Qui nous tombe sur les bras
Depuis le temps
Qu'on l'attend
Comme une bombe, le voilà
Le revoilà le printemps
Tout fleuri de lilas
Qui rapplique en dansant
En dansant la java
Y'a la foule dans les rues
Qui suit les orphéons
Des épaules toutes nues
Et du monde au balcon
C'est la fête aux poètes
Et je t'aime éperdument
Et ça tourne dans ma tête
Enfin le printemps...

J'ai le vertige dans tes yeux
Je voltige dans du bleu
Je vois double et c'est mieux
Vise mon cœur tout là-haut...
Qui fait du cerf-volant
Rattrape-le si tu peux
Mon amour, mon amour
Qui fout le camp...
Enfin le printemps !!!

Sérénade du pavé
Du film *French Cancan* (1954)

Paroles et musique de J. Varney

Si je chante sous ta fenêtre
Ainsi qu'un galant troubadour
Et si je veux t'y voir paraître

Ce n'est pas, hélas, par amour
Que m'importe que tu sois belle
Duchesse, ou lorette aux yeux doux
Ou que tu laves la vaisselle
Pourvu que tu jettes deux sous.

Sois bonne, ô ma chère inconnue
Pour qui j'ai si souvent chanté
Ton offrande est la bienvenue
Fais-moi la charité
Sois bonne, ô ma chère inconnue
Pour qui j'ai si souvent chanté
Devant moi, devant moi sois la bienvenue.

L'amour, vois-tu, moi je m'en fiche
Ce n'est beau que dans les chansons
Si quelque jour je deviens riche
On m'aimera bien sans façons
J'aurais vite une châtelaine
Si j'avais au moins un château
Au lieu d'un vieux tricot de laine
Et des bottines prenant l'eau.

Sois bonne, ô ma chère inconnue
Pour qui j'ai si souvent chanté
Ton offrande est la bienvenue
Fais-moi la charité
Sois bonne, ô ma chère inconnue
Pour qui j'ai si souvent chanté
Devant moi, devant moi sois la bienvenue.

Mais ta fenêtre reste close
Et les deux sous ne tombent pas
J'attends cependant peu de chose
Jette-moi ce que tu voudras
Argent, pain sec ou vieilles hardes
Tout me fera plaisir de toi
Et je prierai Dieu qu'il te garde
Un peu mieux qu'il n'a fait pour moi.

Sois bonne, ô ma chère inconnue
Pour qui j'ai si souvent chanté
Ton offrande est la bienvenue
Fais-moi la charité
Sois bonne, ô ma chère inconnue
Pour qui j'ai si souvent chanté
Devant moi, devant moi sois la bienvenue...

Chanson créée par Eugénie Buffet.

1955

Le chemin des forains

Paroles de J. Dréjac   *Musique de H. Sauguet*

Ils ont troué la nuit
D'un éclair de paillettes d'argent
Ils vont tuer l'ennui
Pour un soir dans la tête des gens
A danser sur un fil, à marcher sur les mains
Ils vont faire des tours à se briser les reins
Les forains...

Une musique en plein vent
Un petit singe savant
Qui croque une noisette en rêvant
Sur l'épaule d'un vieux musicien
Qui lui, ne rêve de rien.

Ils ont troué la nuit
D'un grand rire entremêlé de pleurs
Ils ont tué l'ennui
Par l'écho de leur propre douleur
Ils ont pris la monnaie dans le creux de leurs mains
Ils ont plié bagages et repris leur chemin
Les forains...

Leurs gestes d'enfants joyeux
Et leurs habits merveilleux
Pour toujours sont gravés dans les yeux
Des badauds d'un village endormi
Qui va rêver cette nuit.

Va rêver cette nuit
D'un éclair de paillettes d'argent

Qui vient tuer l'ennui
Dans le cœur et la tête des gens
Mais l'ombre se referme au détour du chemin
Et Dieu seul peut savoir où ils seront demain
Les forains...
Qui s'en vont dans la nuit...

Un grand amour qui s'achève

Paroles d'Edith Piaf   *Musique d'Edith Piaf et Marguerite Monnot*

Un grand amour qui s'achève
Ça fait pleurer tous vos rêves
Et quand tu me disais que tu m'aimais
Mon amour tu le croyais
Bah! Si ton cœur est bohème
On n'y peut rien, c'est la vie
On est si fou quand on s'aime
Ma mie...

T'en souviens-tu comme tu riais
Quand quelquefois je te disais
Que p't-être un jour comme tant d'autres
Tu partirais avec une autre
T'en souviens-tu comme tu riais?
Eh bien, tu vois, tu n'aurais pas dû rire...
Peut-être un jour tu reviendras
Mais je ne serai plus là
Et toi, tout seul, tu pleureras
De tout ce qui t'aura fait rire.

Un grand amour qui s'achève
Ça fait pleurer tous vos rêves
Et quand tu disais que tu m'aimais
Mon amour tu le croyais
Il se pourrait que j'en meure
On n'y peut rien, c'est la vie

240

Je ne veux pas que tu pleures
Ma mie...

Légende

Paroles d'Edith Piaf   *Musique de Gilbert Bécaud*

Il existe dans les landes
Le château des Quatre-Vents
Et la fort belle légende
Pour les petits et les grands...
Il paraît, quand minuit sonne
On entend dans les couloirs
Les bruits de pas qui résonnent
Et des sanglots dans le noir
J'ai voulu savoir la cause
De tous ces morts sans repos
On m'a raconté des choses
Qui m'ont fait froid dans le dos...
Dès que minuit a sonné
Le bois se met à craquer
Le vent sanglote au-dehors
Les chiens hurlent à la mort
Alors, parmi tous ces bruits
Une plainte monte, monte...
Une plainte qui raconte l'histoire d'amour qui suit :

Il y avait y'a longtemps
Que s'aimaient deux amants
Ne vivant que pour lui
Respirant que pour elle
Là dans ce même lit
Oh Dieu, qu'elle était belle...
Mais on ne voulut pas de moi
Je n'étais pas le fils d'un roi
On fit tout pour m'éloigner d'elle
Jamais n'ai pu revoir ma belle
A la fin d'un beau jour

Elle est morte d'amour
Dieu n'a jamais permis
De supprimer sa vie
Elle est morte pour moi
Moi, je suis mort pour elle
Il ne le fallait pas, il ne le fallait pas.
C'est en vain que j'appelle
Chaque nuit, je l'entends pleurer
Seule dans son éternité
Christine, Christine... je t'aime
Christine, Christine... je t'aime
Mais elle ne m'entend pas
Et je ne la vois pas
Christine!... Christine!... Christine!!!

Et l'irréel disparaît
Aussitôt que l'aube apparaît
Est-ce un rêve, ou la réalité?
Là, ma légende est terminée...

1956

C'est un homme terrible

Paroles et musique de J.-P. Moulin

C'est un homme terrible
Avec des yeux doux
Il me prend pour cible
Il me donne des coups
Il me fait pleurer
Avec un regard
Il me fait trembler
Quand il est en retard
C'est un homme terrible
Avec des yeux verts
Il voit à travers
Il me passe au crible
Je suis transparente
Quand il est devant moi
Je pleure, je me lamente
Je reste sans voix
Je descends la pente
De la peur et de l'effroi
Cet homme me hante
Il me met en croix
C'est un homme terrible
C'est un homme terrible...

Mais quand il me caresse
Quand je sens ses deux mains
Se poser comme des compresses
Sur mes yeux pleins de chagrin
Alors je ressuscite
Je retrouve le printemps

Le bonheur invite
Au creux de mon amant

C'est un homme terrible
Avec des yeux bleus
Mon cœur est la cible
Où il vise le mieux
Il revient vers moi
Il revient toujours
Avec un grand «A»
Ça s'appelle l'Amour
C'est un homme terrible
Il a peur la nuit
Dans mes bras fragiles
Il s'apaise et rit
Et puis il s'endort
Et je le regarde
Il n'a plus de force
C'est moi qui le garde
Sentinelle dehors
A moi, la toquarde
Quand viendra l'aurore
Je quitterai la garde
De cet homme terrible
De cet homme terrible
De cet homme terrible
De cet homme terrible
Terrible! Terrible!
Hhhhhan!

L'homme à la moto

Paroles de J. Dréjac   *Musique de Lieber et Stoller*

Il portait des culottes, des bottes de moto
Un blouson de cuir noir avec un aigle sur le dos
Sa moto qui partait comme un boulet de canon
Semait la terreur dans toute la région.

244

Jamais il ne se coiffait, jamais il ne se lavait
Les ongles pleins de cambouis mais sur les biceps il avait
Un tatouage avec un cœur bleu sur la peau blême
Et juste à l'intérieur, on lisait «Maman je t'aime»
Il avait une petite amie du nom de Marie-Lou
On la prenait en pitié, une enfant de son âge
Car tout le monde savait bien qu'il aimait entre tout
Sa chienne de moto bien davantage...

Il portait des culottes, des bottes de moto
Un blouson de cuir noir avec un aigle sur le dos
Sa moto qui partait comme un boulet de canon
Semait la terreur dans toute la région.

Marie-Lou la pauvre fille l'implora, le supplia
Dit : «Ne pars pas ce soir, je vais pleurer si tu t'en vas...»
Mais les mots furent perdus, ses larmes pareillement
Dans le bruit de la machine et du tuyau d'échappement
Il bondit comme un diable avec des flammes
                                    [dans les yeux
Au passage à niveau, ce fut comme un éclair de feu
Contre une locomotive qui filait vers le midi
Et quand on débarrassa les débris...

On trouva sa culotte, ses bottes de moto
Son blouson de cuir noir avec un aigle dans le dos
Mais plus rien de la moto et plus rien de ce démon
Qui semait la terreur dans toute la région...

Et pourtant

Paroles de P. Brasseur   *Musique de M. Emer*

Je t'aime...
Tu m'aimes...
Bonheur...
Nos cœurs...

Et pourtant...
Il y aura toujours un pauvre chien perdu
Quelque part qui m'empêchera d'être heureuse
Il y aura toujours dans un journal du soir
Une gosse de vingt ans qui meurt de désespoir

Voyages...
Mirages...
Heureux...
Nous deux...
Et pourtant...
Il y aura toujours seule devant l'océan
Une femme en noir qui pleure et qui attend
Il y aura toujours un petit garçon pas riche
Qui rêvera des îles devant une belle affiche

Caresse...
Ivresse...
Tes bras...
Prends-moi...
Et pourtant...
Il y aura toujours une lettre anonyme
Qui viendra salir le bonheur des amants
Il y aura toujours dans la chambre à côté
Un silence de mort après les cris d'amour

Je t'aime...
Tu m'aimes...
Bonheur...
Nos cœurs...
Et pourtant...
Il y aura toujours un pauvre chien perdu
Quelque part qui m'empêchera d'être heureuse...

Toi qui sais

Paroles et musique de M. Emer

Tu m'as dit : « Reprenons notre liberté
C'est fini, il vaut beaucoup mieux nous quitter
Et refaire sa vie chacun de son côté
Voici la fin d'un long poème... »
Je t'ai dit : « C'est bien ! Mais il faut m'aider :
Y'a quelqu'un qui m'aime et m'attend à côté
Il ne veut pas croire que je peux l'aimer
L'aimer... autant qu'il m'aime... »

Toi qui sais comment je suis quand je suis amoureuse
Dis-lui...
Toi qui sais comment je suis lorsque je suis heureuse
Dis-lui...
Rassemble tous nos souvenirs
Et puis va-t'en lui dire
Comme nous avons pu rire
Ensemble...
Toi qui sais combien je suis fidèle à mon amour
Dis-lui...

Va lui dire comment aimer ce grand amour
Va lui dire que ce fut le plus beau des jours
Raconte-lui comment tu m'avais fait la cour
Et que c'était un beau dimanche
Va lui dire l'éblouissement de nos matins
Et comment nous vivions la main dans la main
Nos baisers qui ne connaissaient pas de fin
Et puis nos folles nuits blanches...

Toi qui sais comment je suis quand le printemps est là
Dis-lui...
Toi qui sais comment je suis quand tu es dans mes bras
Dis-lui...
Insiste ! Dis-lui notre vie
Et puis surtout dis-lui
Que loin de toi je suis triste...

Toi qui sais que mon amour pour toi
Jamais ne finira...
Ne lui dis pas...
Je t'en supplie...
Ou bien... dis-lui...

Dis-moi

Paroles de Charles Aznavour   *Musique de G. Wagenheim*

Dis-moi toi qui ne crois en rien de rien
Dis-moi toi qui vis tout seul comme un chien
Comment peux-tu comprendre mon cœur
Et me reprocher mes larmes

Si l'on me demandait de changer
Ma place contre la tienne
Tous les biens de ce monde ne suffiraient
A vendre mon droit d'aimer
Je ne t'en veux pas, je ne t'envie pas
Pauvre, pauvre de toi
Qui ne rêves pas
Pauvre, pauvre de toi
Qui ne rêves pas et qui n'aimes pas

Dis-moi toi qui amasses les valeurs
Dis-moi si tu pouvais voir en mon cœur
Tu trouverais gardées par l'amour
D'inestimables merveilles

Et là tu comprendrais que de nous deux
C'est moi le plus riche et le plus heureux
Car j'ai toujours au fond de mon cœur
Ma fortune qui sommeille
Et quand viendra le temps de vieillir
Quand tu seras seul au monde
Quelle richesse ne pourra te servir

248

A payer des souvenirs
Je ne t'en veux pas, je ne t'envie pas
Pauvre, pauvre de toi
Qui ne rêves pas et qui n'aimes pas

Dis-moi crois-tu qu'à vivre comme un fou
Sans joie que celle de compter tes sous
Tu puisses un jour toucher le bonheur
Non ta vie n'a aucun charme

Marie la Française

Paroles de J. Larue   *Musique de M. Philippe Gérard*

Oh mon Paname que tu es loin
Pour les filles de mauvaise vie
Et que la Seine était jolie
Sous le soleil du mois de juin
Sous le soleil du mois de juin

Au fond du vieux Sydney
Sous le pont du chemin de fer
On vient de faire son affaire
A Marie la Française
Faut pas s'en étonner
Car avec les matafs
Dès qu'ils sont un peu pafs
Vaut mieux planquer son pèse
Quatre-vingt-cinq dollars
Ça s'claque un soir de bringue
Quand on vient d'accoster
Après deux mois sans femmes
Ils n'pouvaient pas savoir
Qu'elle était assez dingue
De mettre ça d'côté
Pour revoir Notre-Dame

Oh mon Paname que tu es loin
Pour les filles de mauvaise vie

Et que la Seine était jolie
Sous le soleil du mois de juin
Sous le soleil du mois de juin

Au cimetière de Sydney
Un pasteur en passant
Marmonne avec dédain
Une prière anglaise
Faut pas s'en étonner
Chez les gens bien-pensants
Tout le monde se fout bien
De Marie la Française
Seule une petite vieille
Continuera de croire
Qu'avec un homme très chic
Sa fille est mariée
Et les jours de soleil
Dans sa rue Rochechouart
Pensera qu'aux Amériques
Marie l'a oubliée...

Oh mon Paname que tu es loin
Pour les filles de mauvaise vie
Et que la Seine était jolie
Sous le soleil du mois de juin
Sous le soleil du mois de juin

Soudain une vallée

Paroles de J. Dréjac   *Musique de B. Jones et C. Meyer*

Vous avez parcouru le monde
Vous croyiez n'avoir rien trouvé
Et soudain une vallée
S'offre à vous pour la paix profonde

Vous aviez dépensé vos rêves
Au hasard des bonheurs volés

Et soudain une vallée
Où la voix d'un ami s'élève

Marchant sous un nuage
Perdus dans votre nuit
Tout seuls au cœur de l'orage
Balayés par la pluie
Vous traîniez des regrets immenses
Des envies, des remords voilés
Et soudain une vallée
Vous apprend que la vie commence

Le ciel tout grand s'éclaire
D'amour et de bonté
Soleil pour la vie entière
Et pour l'éternité
Vous rêviez d'un bonheur immense
Sans espoir de jamais trouver
Et soudain une vallée
Où l'espoir et l'amour commencent

... Et soudain une vallée
Où l'espoir et l'amour sont nés...

© Céline, 1956.

Les amants d'un jour

Paroles de C. Delécluse et M. Senlis   *Musique de M. Monnot*

Moi, j'essuie les verres
Au fond du café
J'ai bien trop à faire
Pour pouvoir rêver
Et dans ce décor
Banal à pleurer
Il me semble encore
Les voir arriver...

Ils sont arrivés
Se tenant par la main

L'air émerveillé
De deux chérubins
Portant le soleil
Ils ont demandé
D'une voix tranquille
Un toit pour s'aimer
Au cœur de la ville
Et je me rappelle
Qu'ils ont regardé
D'un air attendri
La chambre d'hôtel
Au papier jauni
Et quand j'ai fermé
La porte sur eux
Y'avait tant de soleil
Au fond de leurs yeux
Que ça m'a fait mal,
Que ça m'a fait mal...

Moi, j'essuie les verres
Au fond du café
J'ai bien trop à faire
Pour pouvoir rêver
Et dans ce décor
Banal à pleurer
C'est corps contre corps
Qu'on les a trouvés...

On les a trouvés
Se tenant par la main
Les yeux refermés
Vers d'autres matins
Remplis de soleil
On les a couchés
Unis et tranquilles
Dans un lit creusé
Au cœur de la ville
Et je me rappelle
Avoir refermé
Dans le petit jour

La chambre d'hôtel
Des amants d'un jour
Mais ils m'ont planté
Tout au fond du cœur
Un goût de leur soleil
Et tant de couleurs
Que ça me fait mal,
Que ça me fait mal...

Moi, j'essuie les verres
Au fond du café
J'ai bien trop à faire
Pour pouvoir rêver
Et dans ce décor
Banal à pleurer
Y'a toujours dehors...
... la chambre à louer...

Milord

Paroles de Georges Moustaki   *Musique de M. Monnot*

Allez, venez, Milord !
Vous asseoir à ma table ;
Il fait si froid, dehors,
Ici c'est confortable.
Laissez-vous faire, Milord,
Et prenez bien vos aises,
Vos peines sur mon cœur
Et vos pieds sur une chaise
Je vous connais, Milord,
Vous n'm'avez jamais vue
Je ne suis qu'une fille du port,
Qu'une ombre de la rue...

Pourtant j'vous ai frôlé
Quand vous passiez hier,
Vous n'étiez pas peu fier,

Dame! Le ciel vous comblait :
Votre foulard de soie
Flottant sur vos épaules,
Vous aviez le beau rôle,
On aurait dit le roi...
Vous marchiez en vainqueur
Au bras d'une demoiselle
Mon Dieu!... Qu'elle était belle...
J'en ai froid dans le cœur...

Allez, venez, Milord !
Vous asseoir à ma table ;
Il fait si froid, dehors,
Ici c'est confortable.
Laissez-vous faire, Milord,
Et prenez bien vos aises,
Vos peines sur mon cœur
Et vos pieds sur une chaise
Je vous connais, Milord,
Vous n'm'avez jamais vue
Je n'suis qu'une fille du port,
Qu'une ombre de la rue...

Dire qu'il suffit parfois
Qu'il y ait un navire
Pour que tout se déchire
Quand le navire s'en va...
Il emmenait avec lui
La douce aux yeux si tendres
Qui n'a pas su comprendre
Qu'elle brisait votre vie
L'amour, ça fait pleurer
Comme quoi l'existence
Ça vous donne toutes les chances
Pour les reprendre après...

Allez, venez, Milord !
Vous avez l'air d'un môme !
Laissez-vous faire, Milord,
Venez dans mon royaume :

Je soigne les remords,
Je chante la romance,
Je chante les Milords
Qui n'ont pas eu de chance !
Regardez-moi, Milord,
Vous n'm'avez jamais vue...
... Mais... vous pleurez, Milord ?
Ça... j'l'aurais jamais cru !...

Eh ben, voyons, Milord !
Souriez-moi, Milord !
... Mieux qu'ça ! Un p'tit effort...
Voilà, c'est ça !
Allez, riez, Milord !
Allez, chantez, Milord !
La-la-la...
...
Mais oui, dansez, Milord !
La-la-la... Bravo Milord !...
La-la-la... Encore Milord !... La-la-la...

1957

Salle d'attente

Paroles de M. Rivgauche   *Musique de M. Monnot*

L'un près de l'autre ils étaient là
Tous deux assis, comme endormis
Au bord de la banquette en bois
Dans la salle d'attente
A travers la vitre on voyait
Le vieux manège qui grinçait
Et sa musique tourbillonnait
Dans la salle d'attente
Et cette musique semblait pousser
La grande aiguille de la pendule
Avec un bruit démesuré
Démesuré et ridicule
Et cette pendule les obsédait
Cette pendule qui les regardait
Cette pendule qui tourbillonnait
Dans la salle d'attente
Et dans leur tête ça glissait
Manège, musique, pendule...
La pendule devenait manège
Le manège devenait pendule
Et leurs souvenirs en cortège
Remontaient, défilaient, s'envolaient...

L'un près de l'autre ils étaient là
Tous deux assis, comme endormis
Au bord de la banquette en bois
Dans la salle d'attente
Et quand le train est arrivé
Tous deux ils se sont regardés
Et sans un mot se sont levés

Dans la salle d'attente
Et dans leur tête ça glissait
Présent, passé, manège...
Les souvenirs devenaient présent
Le présent devenait souvenir...
Et leurs paroles en cortège
Hésitaient, se troublaient, s'envolaient
Quand dans le train il est monté
C'est elle qui s'en est aperçue
Et en courant est revenue
Dans la salle d'attente
Mais le train avait disparu...

Vous n'trouvez pas que c'est idiot
Une femme qui marche dans la rue
Avec une musette et un calot...
C't'idiot !...
C't'idiot !...
... C't'idiot !

Les prisons du roy

Paroles de M. Rivgauche   *Musique de I. Gordon*

Au fond des prisons du roy...
Tout au fond des prisons du roy...
Ils l'ont enfermé dans les prisons du roy
Aha-a-a-a...
Messire, dites-moi,
Pourquoi ont-ils fait ça ?
Aha-a-a-a...
Est-il vrai qu'il ne reviendra plus jamais
Jamais, plus jamais...
Parce qu'il a volé un diamant plein d'éclat
Le plus beau des diamants pour moi...

Au fond des prisons du roy...
Tout au fond des prisons du roy...

Et je m'en souviens il m'avait dit un jour
Aha-a-a-a...
Tu seras plus riche que les dames de la cour
Aha-a-a-a...
Est-il vrai que je ne l'entendrai jamais
Jamais, plus jamais...
Parce qu'il a volé un diamant plein d'éclat
Le plus beau des diamants pour moi...

Au fond des prisons du roy...
Tout au fond des prisons du roy...
Messire dites-moi
Est-il là pour longtemps
Aha-a-a-a...
Alors, jetez-moi en prison avec lui
Aha-a-a-a...
Et rien ne nous séparera plus jamais
Jamais, plus jamais...
Car moi j'ai volé, je l'avoue et sans peur,
Oui messire, j'ai volé son cœur...

Au fond des prisons du roy...
Ô mon amour je viens vers toi !
Tout au fond des prisons du roy...

C'est à Hambourg

Paroles de C. Delécluse et M. Senlis   *Musique de M. Monnot*

C'est à Hambourg, à Santiago
A White Chapel, ou Bornéo
C'est à Hambourg, à Santiago
A Rotterdam, ou à Frisco...

Hello boy ! You come with me ?
Amigo ! Te quiero mucho !
Liebling ! Kom dort mit mir !

C'est à Hambourg, au ciel de pluie
Quand les nuages vont à pas lents
Comme s'en vont les lourds chalands
Le long des quais, crevant d'ennui
C'est à Hambourg ou bien ailleurs
Qu'à tous les gars en mal d'amour
Qu'à tous les gars, depuis toujours,
Moi j'balance du rêve en plein cœur...

C'est à Hambourg, à Santiago
A White Chapel, ou Bornéo
C'est à Hambourg, à Santiago
A Rotterdam, ou à Frisco...

C'est à Hambourg, au ciel de pluie
Qu'il a posé ses mains sur moi
Et qu'il m'a fait crier de joie
En me serrant fort contre lui
M'a dit «je t'aime!» à plus finir
«Laisse donc là tous tes marins!
Laisse donc la mer, et puis viens!
Moi, j'ai du bonheur à t'offrir...»

«Ma p'tite gueule...»

C'est à Hambourg, au ciel de pluie
Dans les bastringues à matelots
Que je trimballe encore ma peau
Les bras ouverts à l'infini...
Car moi je suis comme la mer,
J'ai l'cœur trop grand pour un seul gars
J'ai l'cœur trop grand et c'est pour ça
Qu'j'ai pris l'amour sur toute la terre...

C'est à Hambourg, à Santiago
A White Chapel, ou Bornéo...

So long, boy...
Adios, amigo...

260

Nacher, Schatz...
... Au r'voir, p'tite gueule!...

Les grognards

Paroles de P. Delanoë   *Musique de H. Giraud*

Écoute, peuple de Paris
Tu n'as pas la fièvre
Écoute ces pas qui marchent dans la nuit
Qui s'approchent de ton rêve
Tu vois des ombres qui forment une fresque
                    [gigantesque accrochée dans ton ciel
Écoute, peuple de Paris
Regarde, peuple de Paris, ces ombres éternelles
Qui défilent en chantant sous ton ciel

Nous les grognards, les grenadiers
Sans grenades, sans fusils, ni souliers
Sans ennemis et sans armée
On s'ennuie dans la nuit du passé
Nous les grognards, les grenadiers
Sans grenades, sans fusils, ni souliers
Ce soir nous allons défiler
Au milieu de vos Champs-Élysées
Wagram, Iéna, Eylau, Arcole, Marengo...
Ça sonne bien
Quelles jolies batailles
Tout ce travail
C'était pas pour rien
Puisque les noms de rues
Les noms d'avenues
Où vous marchez
C'est avec le sang
De nos vingt ans
Qu'on les a gravés
Nous les grognards, les grenadiers
Sans grenades, sans fusils, ni souliers

Sans ennemis et sans armée
On s'ennuie dans la nuit du passé
Nous les grognards, les grenadiers
On est morts sur des champs étrangers
On a visité la Russie
Mais jamais nous n'avons vu Paris
On n'a pas eu le temps
D'avoir un printemps
Qui nous sourie
Nos pauvres amours
Duraient un jour
Au revoir et merci
Roulez, roulez tambours
Dans le petit jour
On s'en allait
Au son du clairon
Et du canon
Notre vie dansait
Nous les grognards, les grenadiers
On nous a oubliés, oubliés…
Depuis le temps de nos combats
Il y a eu tant et tant de soldats
Mais cette nuit vous nous verrez
Sans grenades, sans fusils, ni souliers
Défiler au pas cadencé
Au milieu de vos Champs-Élysées
Sans grenades…
Sans fusils…
Ni souliers…
A Paris…

Opinion publique

Paroles de H. Contet   *Musique de M. Monnot*

Son histoire a commencé
Par marcher derrière son dos
Et rentrer dans les cafés

En parlant à demi-mots
Et pendant qu'il buvait
Son histoire s'en allait
En laissant comme pourboire
Des «on-dit» sur les comptoirs...

On dit qu'il a...
On dit qu'il est...
On dit qu'il a fait...
A fait ceci, a fait cela...
Et qu'il a dit ça...

Les maisons de sa ville
Ont les yeux de rideaux
Blancs regards qui le filent
Et se clouent dans son dos
C'est la ronde assassine
Qui l'étouffe et l'efface
Met son cœur en vitrine
Et son nom sur la glace.

On dit qu'il a...
On dit qu'il est...
On dit qu'il a fait...
A fait ceci, a fait cela...
Et qu'il a dit ça...
Non! il a dit ça?
Oui, il a dit ça!

Et le monde l'a couché
Dans le lit des malfaisants
L'a bordé d'un débauché
D'un tricheur, d'un impuissant
Son histoire continue
A parler dans les rues
Lui fabrique une vie
Qu'on affiche à la mairie...

On dit qu'il a...
On dit qu'il est...
On dit qu'il a fait...

A fait ceci, a fait cela…
Et qu'il a dit ça…

Un couteau de méfiance
Est planté parce que
On l'achève en silence
Avec des «parce que»
En quatre on découpe
On le pend sur la place
On le brûle, on le coupe
En morceaux de grimaces…

On dit qu'il a…
On dit qu'il est…
On dit qu'il a fait…
A fait ceci, a fait cela
Et qu'il a dit ça…
Non! Il a dit ça?
Oui, il a dit ça!

Mais c'est dur à supporter
Un salaud préfabriqué
Qu'on habille de votre peau
Et qui porte vos chapeaux
Un beau jour il s'est mis
Au milieu des «on-dit»
Sur la place du marché
De sa ville endimanchée.

On dit qu'il a…
On dit qu'il est…
On dit qu'il a fait…
Il a crié: «Mais c'est pas vrai!
C'est pas vrai! C'est pas vrai!»

Ils ont fait la pirouette
Et la main dans la main
Leur esprit de girouette
A changé de refrain
Ils avaient un coupable

Ils en font un mécène
Le voilà formidable
Mais les mots sont les mêmes :

On dit qu'il a...
On dit qu'il est...
On dit qu'il a fait...
A fait ceci, a fait cela...
Et qu'il a dit ça...
Non ! Il a dit ça ? Oui, il a dit ça !
Il a dit ça, il a dit ça, il a dit ça
Il a dit ça, il a dit ça, il a dit ça
Il a dit ça... Oui, il a dit ça !
Non !!! Oui !...

1958

La foule

Paroles de M. Rivgauche   *Musique de A. Cabral*

Je revois la ville en fête et en délire
Suffoquant sous le soleil et sous la joie
Et j'entends dans la musique, les cris, les rires
Qui éclatent et rebondissent autour de moi
Et perdue parmi ces gens qui me bousculent
Étourdie, désemparée, je reste là
Quand soudain, je me retourne, il se recule,
Et la foule vient me jeter entre ses bras...

Emportés par la foule qui nous traîne
Nous entraîne
Écrasés l'un contre l'autre
Nous ne formons qu'un seul corps
Et le flot sans effort
Nous pousse, enchaînés l'un et l'autre
Et nous laisse tous deux
Épanouis, enivrés et heureux.
Entraînés par la foule qui s'élance
Et qui danse
Une folle farandole
Nos deux mains restent soudées
Et parfois soulevés
Nos deux corps enlacés s'envolent
Et retombent tous deux
Épanouis, enivrés et heureux...

Et la joie éclaboussée par son sourire
Me transperce et rejaillit au fond de moi
Mais soudain je pousse un cri parmi les rires
Quand la foule vient l'arracher d'entre mes bras.

Emportée par la foule qui nous traîne
Nous entraîne
Nous éloigne l'un de l'autre
Je lutte et je me débats
Mais le son de ma voix
S'étouffe dans le rire des autres
Et je crie de douleur, de fureur et de rage
Et je pleure…
Entraînée par la foule qui s'élance
Et qui danse
Une folle farandole
Je suis emportée au loin
Et je crispe mes poings maudissant
La foule qui me vole
L'homme qu'elle m'avait donné
Et que je n'ai jamais retrouvé…

Mon manège à moi

Paroles de J. Constantin   *Musique de N. Glanzberg*

Tu me fais tourner la tête
Mon manège à moi, c'est toi
Je suis toujours à la fête
Quand tu me tiens dans tes bras
Je ferais le tour du monde
Ça ne tournerait pas plus que ça
La terre n'est pas assez ronde
Pour m'étourdir autant que toi…

Ah! Ce qu'on est bien tous les deux
Quand on est ensemble nous deux
Quelle vie on a tous les deux
Quand on s'aime comme nous deux
On pourrait changer de planète
Tant que j'ai mon cœur près du tien
J'entends les flonflons de la fête
Et la terre n'y est pour rien.

Ah oui ! Parlons-en de la terre
Pour qui elle se prend la terre ?
Ma parole, y'a qu'elle sur terre !!
Y'a qu'elle pour faire tant de mystères !
Mais pour nous y'a pas d'problèmes
Car c'est pour la vie qu'on s'aime
Et si y'avait pas de vie, même,
Nous on s'aimerait quand même
Car...

Tu me fais tourner la tête
Mon manège à moi, c'est toi
Je suis toujours à la fête
Quand tu me tiens dans tes bras
Je ferais le tour du monde
Ça ne tournerait pas plus que ça
La terre n'est pas assez ronde...

Mon manège à moi, c'est toi !

Eden blues

Paroles et musique de Jo Moustaki

En descendant le fleuve argent
Qui roule jusqu'au Nevada
On voit la plaine qui s'étend
A l'est de Santa Lucia
Les villes s'appellent Natividad
San Miguel ou San Lorenzo
Les filles s'appellent Soledad
Les garçons gardent les troupeaux

C'est là que Jim a rencontré
Sur une route un soir de pluie
Catherine, la fille du fermier
Et qu'ils s'aimèrent toute la nuit

Le soleil fait briller son or
Dans quelques rares flaques d'eau
Les cactus forment le décor
Le chardon couvre le coteau

C'est là qu'Adam le Sénateur
Est venu finir ses vieux jours
Puis il est mort d'un coup au cœur
On prétend que c'est du mal d'amour
Et les fleurs couchées par le vent
Semblent prier pour son repos
La lune verse une larme d'argent
Sur la croix blanche du tombeau

En descendant le fleuve argent
Qui roule jusqu'au Nevada
On voit la plaine qui s'étend
A l'est de Santa Lucia
Les villes s'appellent Natividad
San Miguel ou San Lorenzo
Les filles s'appellent Soledad
Les garçons gardent les troupeaux...

Les amants de demain
Du film *Les Amants de demain*

Paroles de H. Contet   *Musique de M. Monnot*

Les amants de demain
Le cœur ensoleillé
Les yeux émerveillés
Iront main dans la main
Les amants de demain
Les bras chargés d'amour
S'aimeront à leur tour
Dès demain...

Les amants de demain
S'aimeront d'un cœur pur

Bénissant leurs blessures
Éperdus de s'aimer
Ils iront vers le feu
Qui dévore les yeux
Et réchauffe leurs mains
Les amants de demain...

Ils se rencontreront
Autour d'une chanson
Qui les aura vus naître
Ils seront les plus beaux
Et sans dire un seul mot
Sauront se reconnaître...

Les amants de demain
Le cœur ensoleillé
Les yeux émerveillés
Iront main dans la main
Les amants de demain
Enfermés dans un cœur
Bâtiront leur bonheur
Dès demain...

Les amants de demain
S'aimeront sans raison
Déchirés d'être heureux
Enchaînés deux par deux
Ils iront vers le ciel
En cortège éternel
Par le même chemin
Les amants de demain...

Fais comme si

Paroles de M. Rivgauche *Musique de M. Monnot*

Fais comme si, mon amour
Fais comme si on s'aimait

Rien qu'un jour, rien qu'un jour
L'amour c'était vrai...
Fais comme si, mon amour
Fais comme si on pouvait
Mon amour, mon amour
S'aimer à tout jamais...
Fais comme si...

En fermant mes bras, mes bras sur moi
Je m'évade un peu
Et, croyant que je suis dans tes bras,
Je rêve à tes yeux...

Fais comme si, mon amour
Fais comme si on s'aimait
Et qu'un jour, rien qu'un jour
L'amour c'était vrai...
Fais comme si, mon amour
Fais comme si on pouvait
Mon amour, mon amour
S'aimer à tout jamais...
Fais comme si...

© Céline, 1958.

Le gitan et la fille

Paroles et musique de Georges Moustaki

Le gitan dit à la fille :

Qu'importe le prix de l'amour
Pour toi j'irai finir mes jours
Derrière les grilles
J'irai piller les gens de la ville
Pour t'offrir une robe de satin
Tu n'diras plus que j'suis un vaurien
Un inutile...
Mes mains tout à l'heure si fortes
Seront plus douces que le bois

De la guitare qui joue pour toi
Devant ta porte…

Le gitan dit à la fille :

Qu'importe le prix de l'amour
Pour toi j'irai finir mes jours
Derrière les grilles
J'irai tuer ceux qui te regardent
Quand le doux soleil du matin
Se glisse dans le creux de tes reins
Et s'y attarde…
Et là, je te dirai « je t'aime »
Comme on dit le nom de Jésus
Je le crierai dans la rue
Comme un blasphème…

Le gitan a dit à la fille :

Qu'importe le prix de l'amour
Pour toi j'irai finir mes jours
Derrière les grilles.
Autour de toi je ferai l'ombre
Pour être le seul à te voir
Pour être seul sous ton regard
Et m'y confondre…
Et quand la mort viendra défaire
Les chaînes forgées par l'amour
Pour toi j'irai finir mes jours
Au fond de la terre…

Je me souviens d'une chanson

Paroles de F. Marten   *Musique de J.-P. Moulin*

Je me souviens d'une chanson
D'une chanson quand on s'aimait
Elle disait cette chanson

Des mots d'amour
Je me souviens d'une chanson
D'une pauvre chanson d'amour
Qui m'a fait pleurer, pleurer
Quand on s'aimait...

Une guitare a réveillé
Une chanson presque endormie
Tu reviens, tu me fais rêver
Chanson d'amour en Italie
Douce guitare, tendre mémoire
Raconte-moi la vieille histoire
Belle comme l'amour
Au premier jour
Comme un cœur
Au premier bonheur

Je me souviens d'une chanson
D'une chanson quand on s'aimait
Elle disait cette chanson
Des mots d'amour
Je me souviens d'une chanson
D'une pauvre chanson d'amour
Qui m'a fait pleurer, pleurer
Quand on s'aimait...

Les neiges de Finlande

Paroles de H. Contet   *Musique de M. Monnot*

Un rêve a fait le tour du monde
Sur les épaules d'un marin
Un rêve a fait le tour du monde
C'était le mien...
Mon rêve a fait de beaux voyages
Et m'en rapporte des cadeaux
Entre les mains de mes nuages
Il met le ciel de Bornéo

Tout ce qu'il dit devient merveilleux
Le monde est plein de bruits d'abeilles
Et je le crois !
Le méchant loup est un archange
Les ogres mangent des oranges
Et je le crois !
Les cendrillons filent la laine
Pour habiller Croque-Mitaine
Et je le crois !
Alors je dors sur des légendes
Et je peux voir de mon grenier
Tomber les neiges de Finlande
Sur les Noël d'Aubervilliers…

© Céline, 1958.

Tatave

Paroles de A. Simonin   *Musique de H. Crolla*

La venue au monde c'est un vrai char
Y'a des périodes pour les veinards
Puis d'autres où ne naissent que des cloches
Tac tacatactac - tsoin tsoin

Tatave c'est là qu'il s'est trouvé
Il a tiré, tiré
A la loterie de l'existence
La série des ceu'ze qu'ont pas de chance
Des pas beaux gosses et des paumés
Des ceu'ze qui bectent à la cuisine
Qui marchent à côté de leurs bottines
Et qui doivent jamais la ramener.

Tatave ! Tatave !
Il était pas gâté !

Dans ces cas-là sans hésiter
La raison commande de chercher

Sans tarder une consolation
Tac tacatactac - tsoin tsoin

Tatave dans le piège il est tombé
Il a tiré, tiré
Au jeu de l'amour, une mauvaise brème
Un de ces lots qui disent «comme on s'aime»
Juste à la veille de vous doubler
De ces filles ardentes et si belles
Que rien semble assez beau pour elles
Tant on craint de les voir se tirer.

Tatave! Tatave!
Cette môme elle t'a quimpé!

Dès qu'il eut connu cette souris
Tatave alla chercher le grisby
Indispensable pour la gâter
Tac tacatactac - tsoin tsoin

Tatave à ce truc-là s'est mouillé
Il a tiré, tiré
Sur l'employé qui faisait de la rebiffe
Tiré sur deux mecs de la renifle
Qui surgissaient enfouraillés
Pas pressés de mourir, les perdreaux
A cette pomme, ont pas fait de cadeau
Tatave su' l'tas il est tombé.

Tatave! Tatave! Tatave, il t'a repassé!...
Tatave! Tatave! Le jeu était truqué...
Pauvre Tatave.

Tant qu'il y aura des jours
Du film *Les Amants de demain*

Paroles de M. Rivgauche   *Musique de M. Monnot*

Tant qu'il y aura des jours
On se dira « je t'aime »
Et les serments d'amour
Seront toujours les mêmes
Car pour parler d'amour
Il n'y a pas d'problèmes
On redira toujours
Oh mon amour je t'aime

Et depuis que la terre est la terre
Il n'y a rien à faire, rien à faire...
C'est ainsi, c'est la vie
Mais tant mieux pour les amoureux

Tant qu'il y aura des jours
On se dira « je t'aime »
Et les serments d'amour
Seront toujours les mêmes
Car pour parler d'amour
Il n'y a pas d'problèmes
On redira toujours
Oh mon amour je t'aime
...
Car pour parler d'amour
Il n'y a pas d'problèmes
On redira toujours
Oh mon amour je t'aime...

1959

Les orgues de Barbarie

Paroles et musique de Georges Moustaki

Les orgues de Barbarie
Qui chantaient dans les rues
Ont chanté leurs amours et puis ont disparu
Seule entre ses deux murs
Une ruelle obscure
Va glissant dans le noir
Retrouver son boulevard
Une tendre chanson qui n'est pas née d'hier
Fait revivre un instant tous ceux-là qui s'aimaient
Un, deux, trois petits tours
Les orgues de Barbarie
Connaissent bien la magie
Des vieilles rues de Paris

Les orgues de Barbarie
Ce n'est pas les grandes orgues
Mais leurs refrains rouillés savent si bien chanter
Tourne la manivelle
Des morceaux de chansons
A l'ombre des ruelles
Jouent les belles partitions
Tandis qu'elle s'égosille au milieu du boulevard
Des garçons et des filles dansent sur le trottoir
Un, deux, trois petits tours
Les orgues de Barbarie
C'est une symphonie
Pour les rues de Paris

Les orgues de Barbarie
Ont perdu leur musique

279

A force de tourner dans les rues de Paris
Les années ont passé
Les refrains ont vieilli
Mais les orgues du passé
Hantent souvent la nuit
Parfois deux amoureux quand ils s'aiment très fort
Peuvent les entendre encore
Jouer rien que pour eux...
Un, deux, trois petits tours
Orgues de Barbarie
Je vous entends toujours
Dans les rues de Paris

Un, deux, trois petits tours...
Un, deux, trois...
... petits tours...

Je sais comment

Paroles de J. Bouquet   *Musique de R. Chauvigny et J. Bouquet*

Écoute-moi mon ami
Aimes-tu la liberté
Voudrais-tu t'enfuir d'ici
Aimerais-tu t'évader ?
Veux-tu revivre à la vie
Marcher sans chaînes à tes pieds
Oh, réponds-moi, mon ami,
Aimerais-tu t'évader ?

Je sais comment...
Comment scier tous ces barreaux
Qui sont là en guise de rideaux
Je sais comment...
Comment faire sauter les verrous
Entre la liberté et nous
Je sais comment...
Comment faire tomber en poussière

280

Ce mur énorme d'énormes pierres
Je sais comment...
Comment sortir de ce cachot
Fermé comme l'est un tombeau
Je sais comment revoir les fleurs
Sous un ciel bleu
Je sais comment avoir le cœur
Libre et heureux...

Tu ne dis rien mon ami
Mais tu as au fond des yeux
Plus de rêves que d'envie
Pour voir ce coin de ciel bleu
Tu crois que je t'ai menti
Que je n'ai pas de secret
Pourtant, tes yeux l'ont compris
C'est eux qui sont dans le vrai...

Je sais comment...
Comment faire tourner sur ses gonds
La porte en fer de la prison
Je sais comment...
Comment faire voler en éclats
Les boulets qui gênent nos pas
Je sais comment...
Comment briser de nos mains nues
Toutes ces entraves sans être vus
Je sais comment...
Comment sortir de ce cachot
Sans risquer d'y laisser la peau
Je sais comment revoir les fleurs
Sous un ciel bleu
Je sais comment avoir le cœur
Libre et heureux... Dors!...

T'es beau tu sais

Paroles de H. Contet   *Musique de G. Moustaki*

T'es beau tu sais
Et ça s'entend lorsque tu passes
T'es beau c'est vrai
J'en suis plus belle quand tu m'embrasses
Je te dessine du bout du doigt
Ton front, tes yeux, tes yeux, ta bouche
Comment veux-tu dessiner ça
La main me tremble quand j'y touche...
T'es beau mon grand
Et moi, vois-tu, je suis si petite
T'es beau tout le temps
Que ça me grandit quand j'en profite

Reste là, ne bouge pas
Laisse-moi t'imaginer
T'as l'air d'être l'été
Celui qui pleut jamais
Reste là, bouge pas
Laisse-moi quand même t'aimer
Je ne peux même pas penser
Que je te méritais

T'es beau tu sais
Ça m'impressionne comme les églises
T'es beau c'est vrai
Jusqu'à ta mère qu'en est surprise
Tu me réchauffes et tu m'endors
Tu fais soleil, tu fais colline
Viens contre moi, il pleut dehors
Mon cœur éclate dans ma poitrine
T'es beau partout
C'est trop facile d'être sincère
T'es beau, c'est tout
T'as pas besoin de lumière

Il était beau et c'était vrai
Mais la gosse ne le voyait pas

Ses yeux perdus à tout jamais
Il en pleurait
Quand il guidait ses pas

T'es beau, tu sais
T'es beau, c'est vrai
T'es beau, tu sais
T'es beau, c'est vrai...

1960

Les Blouses Blanches

Paroles de M. Rivgauche   *Musique de M. Monnot*

Ça fera bientôt trois années
Trois années qu'elle est internée
Oui, internée avec les fous...
Avec les fous...

C'est à cause d'eux si elle est là
Seulement voilà, on ne la croit pas.
Mais un jour ça va éclater : la Vérité !
Alors comme elle en a assez de pleurer
De toutes ses forces elle se met à crier :
« Mais puisque j'vous dis que j'suis pas folle,
                              [vous m'entendez ? !
J'suis pas folle ! J'suis pas folle ! ! J'suis pas folle ! ! ! »

... Et à chaque fois y'a les Blouses Blanches...
Encore et toujours les Blouses Blanches...
Elles lui disent : « Non, vous n'êtes pas folle ! »
... pas folle... ... pas folle...

Les Blouses Blanches...
Elle aussi, elle en a eu une blouse blanche,
Ah non ! C'était une robe... Une petite robe blanche...
Une petite robe blanche avec des fleurs,
Y'avait du soleil tout autour des fleurs,
Et dans sa main à elle, y'avait une main :
Une belle main avec des doigts qui chantaient...
Qui chantaient... Qui chantaient...

Ah ! Encore les Blouses Blanches ! ...

Ça fera bientôt huit années
Huit années qu'elle est internée
Oui, internée avec les fous...
Avec les fous...

Un grand trait sur les huit années
Tout comme si rien n's'était passé
Une nuit elle ira leur voler leurs huit années...
Tiens! V'là la main comme le jour d'la robe blanche...
Mais pourquoi qu'elle a mis toutes ces blouses blanches?
Non! Puisque j'vous dis que j'suis pas folle,
[vous m'entendez?
J'suis pas folle! Je suis pas folle!! J'suis pas folle!!!
Vous voyez bien que c'était vrai...
Moi je savais qu'elle reviendrait... la main
La belle main qui riait... riait... riait...

On s'aimera toujours...
Mon amour... Aha!
Toujours... Aha!
Mon amour... Ahaha!!...
Toujours!... Ahahaha!!!...

Ouragan

Paroles de M. Rivgauche   *Musique de C. Léveillée*

Toi...
Rien que toi...
Oui, que toi...
Encore toi...
Toujours toi...
Partout toi...
Tout pour toi...
Tout par toi...
Tout de toi...
Tout en toi...
Tout à toi...

Avec toi...
Rien que toi...
Oui, que toi...
Encore toi...
Toujours toi...

Un ouragan de toi
Se déchaîne sur moi
Et moi pleurant de joie
Baignée de soleil
Je vois un arc-en-ciel...
Ciel tout semé d'étoiles...
Toile entre terre et ciel...
Mais ton souffle se lève
Balayant le temps
Et, jetée sous le rêve,
Moi je crie d'amour
Mon amour...
Aaaah!... Les vagues de toi
Qui déferlent sur moi
Aaaah!... L'océan de joie
Qui m'emporte avec toi...

Non, je ne regrette rien

Paroles de M. Vaucaire   *Musique de Ch. Dumont*

Non, rien de rien
Non, je ne regrette rien
Ni le bien qu'on m'a fait, ni le mal
Tout ça m'est bien égal
Non, rien de rien
Non, je ne regrette rien
C'est payé, balayé, oublié
Je me fous du passé

Avec mes souvenirs
J'ai allumé le feu

Mes chagrins, mes plaisirs
Je n'ai plus besoin d'eux
Balayées mes amours
Avec leurs trémolos
Balayées pour toujours
Je repars à zéro

Non, rien de rien
Non, je ne regrette rien
Ni le bien qu'on m'a fait, ni le mal
Tout ça m'est bien égal
Non, rien de rien
Non, je ne regrette rien
Car ma vie
Car mes joies
Aujourd'hui
Ça commence avec toi...

Le vieux piano

Paroles de H. Contet   *Musique de C. Léveillée*

Un piano est mort
Et celle-là l'aimait...
Quand elle était jeune et quand elle venait se saouler
[l'dedans de pathétique
En se frottant au piano nostalgique
Qu'il était beau, le piano, bon piano, vieux piano
[des copains
A l'époque des copains
Chez Bianco l'argentier
Vers trois heures du matin
Quand elle buvait son demi d'oubli...
Et seule, maintenant,
Elle pense au vivant
De ce vieux piano mort
Elle voit, elle entend
Les messes de ses vingt ans

Tomber d'un accord…
Au bar, quand elle boit
C'est vrai qu'elle revoit
Des mains sur l'ivoire blanc
Les mains de Bianco
Des mains qui lui font cadeau
D'un peu du vieux temps
Mais dans son jean
Un fantôme en blue jean
Un deuxième et puis vingt
Qui discutent en copains
D'un bistrot démodé
D'un piano démodé
Elle a crié : « Moi je sais ! Moi je sais ! »
Elle va raconter
L'histoire enfermée
Dans le vieux piano mort
Et c'est l'aventure
Qui bat la mesure
De plus en plus fort
Au clair de la vie
Les mains des amis
Les yeux des lendemains
La vie devant nous
L'amour, et puis tout
Et tout, et plus rien…
Ils sont tous morts
Au milieu d'un accord
Ils sont morts dans Ravel
Dans un drôle d'arc-en-ciel
Un soldat est entré…
Un soldat est entré…
Un piano est mort, et celle-là l'aimait
Quand elle était jeune et quand elle venait se saouler
                                  [l'dedans de pathétique
En se frottant au piano nostalgique…

Jérusalem

Paroles de R. Chabrier   *Musique de Jo Moutet*

Seul...
Dans le désert et brûlé par le soleil
De Jérusalem, de Jérusalem
Seul...
Un homme en blanc au loin assiste au réveil
De Jérusalem, de Jérusalem

Dans Ses yeux, il y a la bonté du monde
Dans Son cœur, il y a tout l'amour du monde
Dans Ses mains, il y a la magie du monde
Tout l'univers est là, grâce à Lui dans ce désert

Et l'Homme seul
Transfiguré, va, guidé par l'oiseau blanc
Vers Jérusalem, vers Jérusalem
Là...
Il marche parmi les soldats et les gens
De Jérusalem, de Jérusalem

Dans les yeux, il y a la misère du monde
Dans les cœurs, il y a la douleur du monde
Dans leurs mains, il y a la colère du monde
Mais l'Homme en blanc sourit, le regard posé sur eux.

Le tambour bat
Pour annoncer que s'accomplit le destin
De Jérusalem, de Jérusalem
Car...
Un homme est tombé sur les pierres du chemin
De Jérusalem, de Jérusalem

Dans Ses yeux, il y a le pardon du monde
De Son cœur, se répand tout l'amour du monde
De Ses mains, a surgi la Lumière du monde
C'est un soleil nouveau qui renaît dans le soleil...

De Jérusalem...
De Jérusalem...

Les amants merveilleux

Paroles de R. Gall　　　　　　　　　　*Musique de F. Véran*

Dans la petite rue
La rue déserte et nue
Qui sent le ciel mouillé
Le pavé du faubourg
J'ai vu deux amoureux
Qui m'ont tellement émue
Deux amants merveilleux
Émerveillés d'amour
Ils marchaient lentement
Avec les yeux mi-clos
Se tenant par la main
Et sans dire un seul mot
Ils ne m'ont même pas vue
En passant près de moi
Tant leur nuit était belle
Et constellée de joie.

Les amants merveilleux
L'extase dans les yeux
Marchaient comme s'ils portaient en eux
Un trésor fabuleux
Presque miraculeux
Cette immense fortune d'être deux
On sentait leur amour
Bien plus qu'aucun soleil
Qui semblait illuminer le ciel
De voir tant de bonheur
J'en avais presque peur
Je ne croyais pas une chose pareille.

Les amants merveilleux
L'extase dans les yeux

Au plus profond d'eux-mêmes entendaient
Entendaient une musique
La musique pathétique
De leur cœur, de leurs cœurs qui battaient
Oh comme ils s'embrassaient
S'embrassaient dans la rue
La petite rue déserte et nue
Puis ils ont disparu
En marchant lentement
Dans la nuit, effacés par le vent.

Alors tout éperdue
J'ai couru, j'ai couru
Vers ton cœur et vers tes bras tendus
Et contre toi blottie,
Mon amour, j'ai compris
Que nous étions aussi...
Des amants merveilleux...

La belle histoire d'amour

Paroles d'Edith Piaf   *Musique de Ch. Dumont*

Quand un homme vient vers moi
Je vais toujours vers lui
Je vais vers je ne sais quoi
Je marche dans la nuit
Je cherche à t'oublier
Et c'est plus fort que moi
Je me fais déchirer
Je n'appartiens qu'à toi...

Je n'oublierai jamais
Nous deux, comme on s'aimait
Toutes les nuits, tous les jours
... La belle histoire d'amour...
... La belle histoire d'amour...
Pourquoi m'as-tu laissée ?

Je suis seule à pleurer,
Toute seule à chercher...
Un jour où j'attendais
J'ai longtemps attendu
J'espérais... j'espérais...
Tu n'es pas revenu
Je me suis révoltée
Je me suis résignée
J'ai crié, j'ai pleuré
J'ai nié, j'ai prié...

Je n'oublierai jamais
Nous deux, comme on s'aimait
Toutes les nuits, tous les jours
... La belle histoire d'amour...
... La belle histoire d'amour...
Pourquoi m'as-tu laissée ?
Je suis seule à pleurer,
Toute seule à chercher...

Quand un homme me plaît
J'fais des comparaisons
Je n'arrive jamais
A lui donner raison
C'est ta voix que j'entends
C'est tes yeux que je vois
C'est ta main que j'attends
Je n'appartiens qu'à toi...

Je n'oublierai jamais
Nous deux, comme on s'aimait
Toutes les nuits, tous les jours
... La belle histoire d'amour...
... La belle histoire d'amour...
Pourquoi m'as-tu laissée ?
Je suis seule à pleurer,
Toute seule à chercher...

J'espère toujours en toi
Je sais que tu viendras

Tu me tendras les bras
Et tu m'emporteras...
Et tu m'emporteras...
Et tu m'emporteras...
Et tu m'emporteras...
Et tu m'emporteras...
Et tu m'emporteras...

Je suis à toi

Paroles et musique de J. Bouquet

Un matin le printemps est sorti
De son lit pour aller faire la vie
Et pour repeindre en bleu tout le gris
Qui traînait sur les murs de Paris
Du gris, il y en avait dans ma vie
Mais ce jour-là, mais ce jour-là
D'un seul coup tout fut repeint en bleu
Le ciel et les yeux des amoureux
Du coup pour le Pont-Neuf et la Seine
Ce fut l'heure pour eux d'entrer en scène
Sur ce pont nous nous sommes croisés
Moi, ce jour-là j'allais tout droit
Droit devant moi, vers je ne sais quoi...
Rappelle-toi...

Des jonquilles y'en a eu par milliers
On savait où aller les chercher
Qu'ils sont chauds les prés au mois de mai
Qu'ils sont hauts les blés au temps d'aimer
Qu'ils sont beaux les mots que tu disais
Je suis à toi... Je suis à toi
Ces mots-là on ne s'en lasse jamais
Ils sont faits, semble-t-il, pour durer
J'aimais t'entendre les murmurer
D'autant plus que pour moi ils semblaient vrais
Pour moi-même, ne t'ai-je pas crié :

«Je suis à toi... Je suis à toi
Mais garde-moi, et serre-moi tout contre toi...»

Un matin l'été a fichu le camp
En laissant en souvenir du printemps
Des feuilles qui virevoltent au vent
D'un automne qui ne prend pas de gants
Pour venir me dire à bout portant:
Je suis à toi...
Aujourd'hui les beaux jours sont sortis
C'est fini, ils ont quitté Paris
L'hiver va revenir mettre en gris
Tout le bleu que notre amour y avait mis
Du gris, mon Dieu, qu'y en a dans ma vie
Je suis à toi... Je suis à toi...
Mais reviens-moi comme autrefois...
... Je suis à toi...

Cri du cœur

Paroles de J. Prévert   *Musique de H. Crolla*

C'est pas seulement ma voix qui chante
C'est l'autre voix, une foule de voix
Voix d'aujourd'hui ou d'autrefois
Des voix marrantes, ensoleillées
Désespérées, émerveillées
Voix déchirantes et brisées
Voix souriantes et affolées
Folles de douleur et de gaieté

C'est la voix d'un chagrin tout neuf
La voix de l'amour mort ou vif
La voix d'un pauvre fugitif
La voix d'un noyé qui fait plouf
C'est la voix d'une enfant qu'on gifle
C'est la voix d'un oiseau craintif
La voix d'un moineau mort de froid
Sur le pavé d'la rue d'la joie...

Et toujours, toujours quand je chante
Cet oiseau-là chante avec moi
Toujours, toujours, encore vivante
Sa pauvre voix tremble pour moi
Si je disais tout ce qu'il chante
Tout c'que j'ai vu et tout c'que j'sais
J'en dirais trop et pas assez
Et tout ça je veux l'oublier

D'autres voix chantent un vieux refrain
C'est leur souvenir, c'est plus le mien
Je n'ai plus qu'un seul cri du cœur:
«J'aime pas l'malheur! j'aime pas l'malheur!»
Et le malheur me le rend bien
Mais je l'connais, il m'fait plus peur
Il dit qu'on est mariés ensemble
Même si c'est vrai, je n'en crois rien

Sans pitié j'écrase mes larmes
Je leur fais pas d'publicité
Si on tirait l'signal d'alarme
Pour des chagrins particuliers
Jamais les trains n'pourraient rouler
Et je regarde le paysage
Si par hasard il est trop laid
J'attends qu'il se refasse une beauté

Et les douaniers du désespoir
Peuvent bien éventrer mes bagages
Me palper et me questionner
J'ai jamais rien à déclarer
L'amour comme moi part en voyage
Un jour je le rencontrerai
A peine j'aurai vu son visage
Tout de suite je le reconnaîtrai...

La vie, l'amour

Paroles de M. Rivgauche   *Musique de R. Chauvigny*

La vie, la vie ça se trouve
Dans l'amour
L'amour, l'amour ça se perd
Dans la vie
La vie, la vie ça se donne
Par l'amour
L'amour, l'amour ça se prend
Par envie
La vie, la vie ça rêve
A l'amour
L'amour, l'amour s'éveille
A la vie
Car la vie, mais c'est l'amour

Oui la vie, c'est l'amour
Et l'amour, c'est la vie
Pas de vie, sans amour
Pas d'amour, sans la vie
Notre vie pour l'amour
Notre amour pour la vie
Mon amour, tu es ma vie

La vie, la vie ça chante
Dans l'amour
L'amour, l'amour ça crie
Dans la vie
La vie, la vie nous donne
Tout l'amour
L'amour, l'amour nous prend
Toute la vie
La vie, la vie ça meurt
Pour l'amour
L'amour, l'amour ça vit
Pour la vie
C'est l'amour
Et c'est la vie...

Boulevard du Crime

Paroles de M. Rivgauche   Musique de C. Léveillée

Sur le boulevard du Crime
Pour voir la pantomime
Ce soir on se bouscule
Au théâtre des Funambules
Les amours de Pierrot
Ça fait pleurer Margot
Et rire dans la tourmente
Le Paris de mille huit cent trente
Masques sont vert damasques
Et la foule coasse
Au milieu du carnaval des grimaces

Mais dans la foule qui rit de Pierrot
Il y a toujours un Arlequin
Dans la vie, faut des arlequins
Sans quoi l'amour ce ne serait que des mots
Aussi lorsque Pierrot sourit
C'est là-haut vers les amants du paradis...

Sur le boulevard du Crime
Pour voir la pantomime
Ce soir on se bouscule
Au théâtre des Funambules
Les amours de Pierrot
Ça fait pleurer Margot
Et rire dans la tourmente
Le Paris de mille huit cent trente
Masques sont vert damasques
Pour des danses fantasques
Et la foule coasse
Au milieu du carnaval des grimaces

Mais tous ces gens qui rient de Pierrot
Il n'y a que lui, pleure pour de vrai
Puisque la femme qu'il aimait
Est partie ce soir sans un mot

Aussi lorsque Pierrot sourit
Tout là-haut pleurent les amants du paradis...

Sur le boulevard du Crime
Pour voir la pantomime
Ce soir on se bouscule
Au théâtre des Funambules
Les malheurs de Pierrot
Sous les cris, les bravos
Font rire dans la tourmente
Le Paris de mille huit cent trente
Quel talent fantastique
Qu'il est drôle et comique
Ça, c'est un vrai Pierrot
Allez! Vas-y! Refais ton numéro...

Tout là-haut pleurent les amants du paradis.

© Salabert, 1960.

Je m'imagine

Paroles de N. Raya   *Musique de M. Monnot*

Je m'imagine ton enfance
Avec tes grands yeux étonnés
Oh comme j'envie ceux que la chance
A fait grandir à tes côtés
J'aurais tant voulu te connaître
Depuis des années, des années
Tu serais devenu mon maître
Moi, ton esclave passionnée
J'aurais aimé vivre dans l'ombre
Au moindre souffle intervenir
Pour éclairer tes heures sombres
Faire partie de tes souvenirs
Mais parle-moi de ta jeunesse
Que je veux suivre pas à pas
Dans tes plaisirs, dans tes tristesses
Dans tes soucis et dans tes joies

Si tu savais comme je veux boire
Les mots de ta bouche adorée
Tu me raconterais des histoires
Sans jamais vouloir t'arrêter

Tu m'as dit que ta vie commence
Depuis que tu m'as rencontrée
Et que jamais tu ne repenses
Aux événements de ton passé...

Répète encore pour moi ces choses
Qui pénètrent au fond de mon cœur
Ah mon amour, redis ces choses
Ces choses qui ressemblent au bonheur
Est-ce vrai que là, dans la tête
Rien d'autre ne te fait envie?
Et que jamais tu ne regrettes
D'être mon homme pour la vie...

C'est l'amour

Paroles d'Edith Piaf   *Musique de M. Monnot*

C'est l'amour qui fait qu'on aime
C'est l'amour qui fait rêver
C'est l'amour qui veut qu'on s'aime
C'est l'amour qui fait pleurer...

Mais tous ceux qui croient qu'ils s'aiment
Ceux qui font semblant d'aimer
Oui, tous ceux qui croient qu'ils s'aiment
Ne pourront jamais pleurer...

Dans l'amour, il faut des larmes,
Dans l'amour, il faut donner...

Et ceux qui n'ont pas de larmes
Ne pourront jamais aimer...

Il faut tant, et tant de larmes
Pour avoir le droit d'aimer...

Mon amour, oh toi que j'aime
Tu me fais souvent pleurer...

J'ai donné, donné mes larmes
J'ai pleuré pour mieux t'aimer
J'ai payé de tant de larmes
Pour toujours le droit d'aimer...
Pour toujours... le droit d'aimer!

Non, la vie n'est pas triste

Paroles d'Edith Piaf   *Musique de C. Léveillée*

Non, la vie n'est pas triste
Et le bonheur existe
Il suffirait de tendre la main
Tu trouverais combien de copains
Il suffirait d'un tout petit rien
Et tu verrais, tout irait très bien.

Mais voilà,
Tu te plais comme ça
Tu te plais, c'est ça
A te déchirer
Et tu veux te laisser guider
Tu peux tout changer
Toi, le tourmenté.

Vois, dans les yeux des filles
Vois, comme le soleil brille
Écoute-moi et puis tu verras
Écoute-moi et tout changera
Regarde bien, tu seras surpris
Car jusqu'alors tu n'as rien compris.

Tant d'amour
Et tant de beaux jours
Sont tout près de toi
Mais tu restes sourd
Et tes yeux
Ne voient pas le bleu
Ne voient pas le ciel
Ni les amoureux
Mais, essaie donc quand même
Aime, si tu veux qu'on t'aime.

Le métro de Paris
Du ballet *La Voix*

Paroles de M. Rivgauche   *Musique de C. Léveillée*

Des escaliers mécaniques
Portillons automatiques
Couloirs de correspondance
Heures de pointe et d'affluence
Portières en mosaïque
Labyrinthe fantastique
Et toujours, en courant,
Des gens qui vont et viennent
Et encore, en courant,
Les mêmes gens qui reviennent
Et le métro qui flânait sous Paris
Doucement s'élance et puis s'envole
S'envole sur les toits de Paris...

Des midinettes qui trottinent
Des ouvriers qui cheminent
Des dactylos qui se pressent
Des militaires qui s'empressent
Des employés qui piétinent
Des amoureux qui butinent
Et toujours, en courant,
Des gens qui vont et qui viennent

Et encore, en courant,
Les mêmes gens qui reviennent
Et le métro qui flânait sous Paris
Doucement s'élance et puis s'envole
S'envole sur les toits de Paris

Des escaliers mécaniques
Portillons automatiques
Des bruits de pas qui résonnent
Dans les couloirs monotones
Basilique fantastique
Dans le faubourg électrique
Le métro de Paris
Gigantesque ver luisant
Sur les toits de Paris
A tissé des fils d'argent
Et doucement
Il s'étire sur les toits de Paris
Et glisse, glisse, glisse, glisse, glisse...

Kiosque à journaux
Du ballet *La Voix*

Paroles de M. Rivgauche   *Musique de C. Léveillée*

L'Humanité! Le Figaro! France-soir!
Les travailleurs ont le droit de savoir
Carreaux, lorets, phosphate, Rio, dicto
La Princesse portait un nouveau chapeau
Zizi place dix-sept, gagnant vingt-deux...

Venez chercher les mots
Puisqu'il vous faut des mots
Et puis soyez heureux...

On précisait hier dans les couloirs
Que l'Éminence grise serait pas noire
La France bat la Pologne par trois-zéro

Grâce à Lopez, Kobarsky et Aszlo
La Princesse va faire couper ses cheveux.

Venez chercher des mots
Puisqu'il vous faut des mots
Et puis soyez heureux...

Éclaircie passagère et temps couvert
Trois pièces : cuisine, moquette, très bonne affaire
Et la poitrine sera plus haute au printemps
Mon linge a vraiment la blancheur du blanc
Ma foi ce sera un événement heureux...

Venez chercher des mots
Puisqu'il vous faut des mots
Et puis soyez heureux...

1961

Les mots d'amour

Paroles de M. Rivgauche   *Musique de Ch. Dumont*

C'est fou c'que j'peux t'aimer
C'que j'peux t'aimer des fois
Des fois, j'voudrais crier
Car j'n'ai jamais aimé
Jamais aimé comme ça
Ça je peux te l'jurer
Si jamais tu partais
Partais et me quittais
Me quittais pour toujours
C'est sûr que j'en mourrais
Que j'en mourrais d'amour
Mon amour, mon amour...

C'est fou c'qu'il me disait
Comme jolis mots d'amour
Et comme il les disait
Mais il ne s'est pas tué
Car malgré son amour
C'est lui qui m'a quittée
Sans dire un mot
Pourtant des mots
Y'en avait tant
Y'en avait trop...

C'est fou c'que j'peux t'aimer
C'que j'peux t'aimer des fois
Des fois, j'voudrais crier
Car j'n'ai jamais aimé
Jamais aimé comme ça
Ça je peux te l'jurer

Si jamais tu partais
Partais et me quittais
Me quittais pour toujours
C'est sûr que j'en mourrais
Que j'en mourrais d'amour
Mon amour, mon amour...

Et voilà qu'aujourd'hui
Ces mêmes mots d'amour
C'est moi qui les redis
C'est moi qui les redis
Avec autant d'amour
A un autre que lui
Je dis des mots
Parce que des mots
Il y en a tant
Qu'il y en a trop...

C'est fou c'que j'peux t'aimer
C'que j'peux t'aimer des fois
Des fois j'voudrais crier
Car j'n'ai jamais aimé
Jamais aimé comme ça
Ça, je peux te l'jurer
Si jamais tu partais
Partais et me quittais
Me quittais pour toujours
C'est sûr que j'en mourrais
Que j'en mourrais d'amour
Mon amour, mon amour...

Au fond c'n'était pas toi
Comme ce n'est même pas moi
Qui dits ces mots d'amour
Car chaque jour ta voix
Ma voix, ou d'autres voix
C'est la voix de l'amour
Qui dit des mots
Encore des mots

Toujours des mots
Des mots d'amour...

C'est fou c'que j'peux t'aimer
C'que j'peux t'aimer des fois
Si jamais tu partais
C'est sûr que j'en mourrais
C'est fou c'que j'peux t'aimer
C'que j'peux t'aimer... d'amour...

Les flonflons du bal

Paroles de M. Vaucaire   *Musique de Ch. Dumont*

Les flonflons du bal
A grands coups de cymbale
Et l'accordéon
Secouent ma chanson
Les flonflons du bal
Donnent un festival
En dessous de chez moi
Tous les soirs du mois

J'ai beau tourner ma clé
Ma clé à triple tour
Ils sont toujours mêlés
A mes histoires d'amour
Les flonflons du bal
Le long des murs sales
Montent par bouffées
Jusqu'à mon grenier

Les flonflons du bal
A grands coups de cymbale
Et l'accordéon
Secouent ma chanson
Quand j'ai du chagrin
C'est le même refrain

Qu'on soit presque mort
Ils jouent aussi fort

J'ai bien failli mourir
Le jour où t'es parti
Mais pour les attendrir
Mon cœur n'a pas suffi
Les flonflons du bal
Ça leur est égal
Vous pouvez pleurer
Eux, ils font danser...

Eux, ils vendent la joie
C'est chacun pour soi
C'est tant mieux pour eux
C'est tant pis pour moi...

Mon vieux Lucien

Paroles de M. Rivgauche   Musique de Ch. Dumont

Quelle chance que t'as
D'avoir, Lucien,
Un vieux copain
Comme moi
Moi, tu m'connais
J'aime rigoler
Et m'amuser,
Pas vrai?
Alors ce soir
Histoire de rire
Et tu peux m'croire
Sans réfléchir
Comme ça pour voir
Et sans prévenir
J'ai dit aux copains:
« On va chez Lucien »

Quelle chance que t'as
D'avoir, Lucien,
Un vieux copain
Comme moi
Tu peux t'vanter
Lorsque j'y pense
D'avoir d'la chance
Tu sais!
Mais tu n'dis rien
Tu m'laisses parler
J'te connais bien
Tu m'fais marcher
Moi ça n'fait rien
Tu peux y aller
Mais maintenant, ça va
Et dis-moi pourquoi
Tu fais cette tête-là
Comme ça
Mais... Regarde-moi...
T'as les yeux gonflés
Je t'ai réveillé?
Ah non! T'écrivais à ta bien-aimée...
Qu'est-ce que tu caches là?
Là... dans ton tiroir...
Eh ben quoi, fais voir!
...
Tu voulais m'faire peur?!...
Ah... Ha! C'que t'es blagueur!

Quelle chance que t'as
D'avoir, Lucien,
Un vieux copain
Comme moi
Moi j'te connais
Mieux que personne
C'est c'qui t'étonne,
Pas vrai?
Un autre que moi
N'comprendrait pas
Mais moi j'devine

Que tu m'taquines
Tu veux peut-être
Finir ta lettre...
J'vais l'dire aux copains,
Et puis, tu nous rejoins...

Quelle chance que t'as
C'est pas pour dire
Que j'aime bien rire
Crois-moi !
Un autre que moi
Aurait marché
A ton ciné
Pas moi !
Allez, au revoir
A tout à l'heure
T'en fais une tête, sacré farceur !
Ah non ! Bien sûr que j'ai pas peur !
Toi y'a pas d'danger
De te voir un jour
Souffrir et mourir
D'amour...

... Lucien !...
Eh ben quoi, Lucien !...
Donne-moi c'que t'as dans la main !
Ah ! C't'agréable, d'être ton copain !
Ah non, Lucien !
Allez...
Viens !...

Qu'il était triste cet Anglais

Paroles de L. Poterat　　　　　　　*Musique de Ch. Dumont*

C'était le décor attendu
D'un bar de la Tamise
Avec son ennui répandu

Comme une fumée grise
Son frisson de journaux froissés
Son tintement de verres
Et les murmures étouffés
De ses clients sévères

Qu'il était triste cet Anglais
Dont la main du temps n'avait fait
Qu'estomper doucement les traits
De son visage
Tout seul, immobile et muet
Debout près du bar, il buvait
On aurait dit qu'il revenait
D'un long voyage

Quand il eut trop bu tout à coup
De ses yeux deux larmes glissèrent
Quelqu'un a dit : «Voilà qu'il est soûl!»
Et puis des secondes passèrent...

Pourtant moi qui le regardais
Ça me serrait, ça me serrait
Je mêlais à ses pleurs secrets
La terre entière
Car je n'avais pas bien compris
Ce qu'il disait rien que pour lui :
«My beloved stayed in Paris...»

Peut-être avait-il épuisé
Toutes les aventures?
Ou traînait-il un cœur usé
Par une vie trop dure?
Avait-il le spleen du marin
Pour les terres promises?
Ou faisait-il un grand chagrin
D'une simple bêtise?

Qu'il était triste cet Anglais
Que chaque soir je retrouvais
Portant le poids de son secret

Impénétrable
Tout seul, immobile et muet
Debout près du bar, il buvait
Le même jeu recommençait
A chaque table

Certains le guettaient en dessous
Et les larmes les faisaient rire
J'entendais : « Voilà qu'il est soûl ! »
C'est tout ce qu'ils trouvaient à dire

Mais quand je m'approchai de lui
Il me confia d'un air surpris :
« My beloved stayed in Paris...
Stayed in Paris... »
S'il vous plaît, barman, qu'est-ce qu'il a ?
Et le barman me répondit :
« Sa bien-aimée est à Paris...
... morte, peut-être... »
« ... my beloved stayed in Paris...
My beloved stayed in Paris...
In Paris... In Paris... »

© M.C.A., 1961.

Le bruit des villes

Paroles de L. Poterat   *Musique de Ch. Dumont*

Bam ! Bam ! V'là la vie
Bam ! Bam ! En batterie
Bam ! Bam ! En furie
V'là la vie qui m'fait peur !
Bam ! Bam ! Le tapage
Bam ! Bam ! De l'orage
Bam ! Bam ! Qui soulage
Le grand ciel en chaleur...
Bam ! Bam ! De l'usine
Bam ! Bam ! De la mine
Bam ! Bam ! Tambourinent

312

Les marteaux du labeur.
Bam! Bam! Dans les soutes
Bam! Bam! Sur les routes
Bam! Bam! Je l'écoute
Ce Bam-Bam de malheur!

Entre tes bras, dans le calme des nuits,
J'ai tant besoin d'oublier tout ce bruit!
Délivre-moi de l'enfer de cette vie...
Fais-moi mon coin de paradis...

Bam! Bam! Qui s'entête
Bam! Bam! Dans ma tête
Bam! Bam! Ça tempête
Crève le mur du bonheur.
Bam! Bam! Ça percute
Bam! Bam! Ça chahute
Bam! Bam! Ça culbute
Tout ce que j'ai dans mon cœur.
Bam! Bam! J'ai beau faire
Bam! Bam! Et me taire
Bam! Bam! Sa colère
Roule un bruit de tambour!
Bam! Bam! Et je sombre
Bam! Bam! Parmi l'ombre
Bam! Bam! Des décombres
Sauve-moi mon amour...

Bam! Bam!
Bam! Bam!
Bam! Bam!

T'es l'homme qu'il me faut

Paroles d'Edith Piaf   *Musique de Ch. Dumont*

T'es l'homme qu'il me faut
T'en fais jamais trop
J'ai eu beau chercher
Je n'ai rien trouvé
Pas un seul défaut
T'es l'homme, t'es l'homme, t'es l'homme
T'es l'homme qu'il me faut

T'aimes bien t'amuser
T'aimes bien rigoler
Mais tu deviens sérieux
Ah c'est merveilleux
T'en fais jamais trop
T'es l'homme, t'es l'homme, t'es l'homme
T'es l'homme qu'il me faut

Quand je sors avec toi
J'm'accroche à ton bras
Les femmes elles te voient
Toi tu ne les vois pas
Heureusement pour moi
Pour toi, pour toi, pour toi
Il n'y a que moi

J'aime aussi ta voix
Parle, parle-moi
Parle-moi de nous
Parle-moi de tout
Je me sens si bien
Si bien, si bien, si bien
Ah oui, vraiment bien

T'es l'homme qu'il me faut
T'en fais jamais trop
Tu es les beaux jours
Tu es notre amour

Tu es ma lumière
Ma vie, ma vie, ma vie
Ma vie tout entière

Tu es la tendresse
T'es toutes les caresses
T'es tous les «je t'aime»
C'est inouï quand même
T'en fais jamais trop
T'es l'homme, t'es l'homme, t'es l'homme
T'es l'homme qu'il me faut

Tu es mon problème
Je ne comprends pas
Car malgré tout ça
Moi aussi
Moi aussi
Moi aussi
Je t'aime...

Mon Dieu

Paroles de M. Vaucaire   *Musique de Ch. Dumont*

Mon Dieu! Mon Dieu! Mon Dieu!
Laissez-le-moi
Encore un peu
Mon amoureux!
Un jour, deux jours, huit jours...
Laissez-le-moi
Encore un peu
A moi...

Le temps de s'adorer
De se le dire
Le temps de se fabriquer
Des souvenirs
Mon Dieu! Oh oui... mon Dieu!

Laissez-le-moi
Remplir un peu
Ma vie...

Mon Dieu! Mon Dieu! Mon Dieu!
Laissez-le-moi
Encore un peu
Mon amoureux
Six mois, trois mois, deux mois...
Laissez-le-moi
Pour seulement
Un mois...

Le temps de commencer
Ou de finir
Le temps d'illuminer
Ou de souffrir
Mon Dieu! Mon Dieu! Mon Dieu!
Même si j'ai tort
Laissez-le-moi
Un peu...
Même si j'ai tort
Laissez-le-moi
Encore...

Faut pas qu'il se figure

Paroles de M. Rivgauche   *Musique de G. Moustaki*

Faut pas qu'il se figure
Que je vais me jeter dans ses bras
Sitôt qu'il va venir vers moi
Et lui crier : «Je suis à toi»
Faut pas qu'il se figure
Que je vais rester médusée
Sitôt qu'il va me regarder
Pour essayer de m'impressionner
Faut pas qu'il se figure

316

Que moi je n'attendais que lui
Pour lui avouer tout épanouie :
«Tu es mon ciel, tu es ma vie…»
Faut pas qu'il se figure
Qu'il fera toujours ce qu'il voudra
Qu'il a gagné quand il est là
Et qu'j'suis perdue s'il n'est pas là
… Mais qu'est-ce qu'il fait, il est en retard !
V'là l'ascenseur… premier… deuxième… troisième…
[quatrième…
Et s'il v'nait pas ?…
Non ! Ça, j'crois pas !
Mais qu'est-ce qu'il fait ? Trois heures et quart !…
Ah ! L'ascenseur… premier… deuxième… troisième…
Ça y est… On va sonner…
On a sonné… il a sonné… tu as sonné…
Enfin ! Je savais bien…

Faut pas qu'il s'aperçoive
Que soudain depuis qu'il est là
Je sens que je lutte contre moi
Pour pas me jeter entre ses bras
Faut pas qu'il s'aperçoive
Que j'fais semblant de plaisanter
Et que je n'ose pas le regarder
Parce que mon cœur va éclater
Faut pas qu'il s'aperçoive
Que j'suis heureuse à en mourir
Et que je sais plus d'vant son sourire
Si j'dois pleurer ou si j'dois rire
Faut pas qu'il s'aperçoive
Que je ferai toujours ce qu'il voudra
Que j'suis perdue s'il n'est pas là
Faut pas… faut pas… faut pas…
Oh ! Mon amour !
… Si tu savais…

C'est peut-être ça

Paroles de M. Vaucaire   Musique de Ch. Dumont

C'est peut-être ça
L'amour, le grand amour
C'est peut-être ça
Qui m'a prise à mon tour
Ce je ne sais trop quoi
Qui fait froid dans le dos
Et soudain donne chaud
Quand tout le monde a froid...

C'est peut-être ça
Qui fait battre le cœur
Et pendant des heures
Vous fera rester là
Devant un téléphone
Pour entendre une voix
Devant un téléphone
Qui ne sonnera pas...

C'est peut-être ça
L'amour, le grand amour
C'est peut-être ça
Qui m'a prise à mon tour
Ce sentiment brutal
Lorsque tout allait bien
De se sentir très mal
Sans savoir d'où ça vient

C'est peut-être ça
Qui fait pleurer de rire
Et vous fait courir
A minuit sous la pluie
Sous la pluie, sans manteau
En gueulant qu'il fait beau
En gueulant que la vie
Y'a rien de plus joli...
Avant, juste avant
D'aller se foutre à l'eau...

C'est peut-être ça
L'amour... Le Grand Amour!...

Marie-Trottoir

Paroles de M. Vaucaire   *Musique de Ch. Dumont*

Marie-Trottoir, bonsoir Marie
Marie, bonsoir
Toi qui n'attends personne
Et un peu tout le monde
Perchée sur tes talons
Sur tes trop hauts talons
Marie qui vend du rêve
A ceux qui ont envie d'espoir

Tu as d'ailleurs
De quoi plaire à certains rêveurs
Tu es assez fardée
Tu es un peu trop blonde
Et puis tu as aussi
Aussi un parapluie
Marie qui pense à tout
Même à se mettre à l'abri

Marie-Trottoir, bonsoir Marie
Marie, bonsoir
Toi qui n'attends personne
Et un peu tout le monde
Marie née à Angers
A Nice, ou à Saint-Dié
Marie qui vend du rêve
A ceux qui ont besoin d'aimer
Bonsoir Marie-Trottoir
Tu fais rien dans le noir
Ne parle pas, souris, vas-y
Joue les Jocondes

Marie qui a toujours
Pour tous les sans-amour
Marie qui a un cœur
Grand comme une roue de secours

Marie-Trottoir, bonsoir Marie,
Marie, bonsoir...

Exodus
Du film d'Otto Preminger *Exodus*

Paroles françaises de E. Marnay *Musique de E. Gold*

Ils sont partis dans un soleil d'hiver
Ils sont partis courir la mer
Pour effacer la peur, pour écraser la peur
Que la vie leur a clouée au fond du cœur
Ils sont partis en croyant aux moissons
Du vieux pays de leurs chansons
Le cœur chantant d'espoir
Le cœur hurlant d'espoir
Ils ont repris le chemin de leur mémoire.

Ils ont pleuré les larmes de la mer
Ils ont versé tant de prières :
« Délivrez-nous, nos frères
Délivrez-nous, nos frères ! »
Que leurs frères les ont tirés vers la lumière
Ils sont là-bas dans un pays nouveau
Qui flotte au mât de leur bateau
Le cœur brisé d'amour
Le cœur perdu d'amour
Ils ont retrouvé la terre de l'amour.
Ah ! Ah ! Ah !
Ah ! Ah ! Ah ! Ah !
Ah ! Ah ! Ah ! Ah ! Ah !
Ah ! Ah ! Ah ! Ah ! Ah ! Ah ! Ah ! Ah !

Les bleuets d'azur

Paroles de J. Larue   *Musique de G. Magenta*

Les bleuets d'azur
Dans les grands blés mûrs
Nous font des clins d'œil.
Au bord du clocher,
La pie vient percher
Sa robe de deuil.
Seul, le vent du mois d'août
A les yeux si doux
Qu'on en boirait bien.
Et l'herbe d'amour
Se fait de velours
Au creux de mes reins.

Attention, mon gars!
Ce n'est pas toujours
Qu'on fait de l'amour
Avec ces trucs-là...
Attention, mon gars!
Fais-toi des yeux bleus
Autant que tu veux,
Mais ne gamberge pas...

Dans tes cheveux bruns
Je plonge mes mains.
Je vois le soleil;
C'est l'instant perdu
Toujours attendu
Mais jamais pareil.
Et tandis qu'au ciel
Le silence est tel
Qu'on l'entend crier
Dans tes yeux qui battent
La vie est si bath
Que j'en suis noyée...

Attention, mon gars!
Ce n'est pas toujours

Qu'on fait de l'amour
Avec ces trucs-là...
Attention, mon gars !
Fais-toi des yeux bleus
Autant que tu veux,
Mais ne gamberge pas...

Pour voir si ça va
Patientons jusqu'à dimanche prochain
Les bleuets d'azur
Dans les grands blés mûrs
Nous attendront bien.
Le vent du mois d'août
Sera bien plus doux
La deuxième fois.
Et l'herbe d'amour
Sera là toujours
Quand on reviendra...

Mais, tu vois, mon gars,
J'avais bien raison
De faire attention...
Je gamberge déjà !
Qui peut dire, mon gars,
Si l'on reviendra...
Si l'on reviendra...
Si l'on reviendra...
...
Si l'on reviendra...

Quand tu dors

Paroles de Jacques Prévert   *Musique de C. Verger*

Toi tu dors la nuit
Moi j'ai de l'insomnie
Je te vois dormir
Ça me fait souffrir

Tes yeux fermés
Ton grand corps allongé
C'est drôle, mais ça me fait pleurer
Et soudain, voilà que tu ris
Tu ris aux éclats en dormant
Où donc es-tu en ce moment ?
Où donc es-tu parti vraiment ?
Peut-être avec une autre femme
Très loin dans un autre pays
Et qu'avec elle, c'est de moi que tu ris...

Toi tu dors la nuit
Moi j'ai de l'insomnie
Je te vois dormir
Ça me fait souffrir
Lorsque tu dors
Je ne sais pas si tu m'aimes
T'es tout près, mais si loin quand même
Je suis toute nue, serrée contre toi
Mais c'est comme si j'étais pas là
J'entends pourtant ton cœur qui bat
Je ne sais pas s'il bat pour moi
Je ne sais rien, je ne sais plus
Je voudrais qu'il ne batte plus ton cœur
Si jamais un jour tu ne m'aimais plus...

Toi tu rêves la nuit
Moi j'ai de l'insomnie
Je te vois rêver
Ça me fait pleurer
Voilà le jour et soudain tu t'éveilles
Et c'est à moi que tu souris
Tu souris avec le soleil
Et je ne pense plus à la nuit
Tu dis des mots toujours pareils :
« As-tu passé une bonne nuit ? »
Et je réponds comme la veille :
« Oui mon chéri, j'ai bien dormi !
Et j'ai rêvé de toi comme chaque nuit... »

© Beuscher-Lacroix, 1961.

Le billard électrique

Paroles de L. Poterat   *Musique de Ch. Dumont*

« Pas la peine de suivre l'aiguille »
Dit le patron du bar.
« Ça n'avance à rien
Elle est en retard !
Va jouer aux billes
Ça passe le temps et ça fait du bien... »

Il met ses vingt balles dans la mécanique
Un déclic !
Les billes sautent au garde-à-vous !
La première bondit comme une hystérique
Ça cavale, ça sonne, ça s'allume partout !
Ding ! Ding ! Ça crépite comme une mitraillette
Ding ! Un œil fait « tilt »... Ding ! Une bouche fleurit !
Une pin-up s'éclaire des pieds à la tête
Au fond de la vitrine en verre dépoli.
Cent mille ! C'est le ballet des nombres magiques !
Deux cent ! Re-ding-ding !!
La bille n'écoute pas...
Elle baisse dans le couloir comme prise de panique
Zut ! Raté !... Huit heures...
Elle ne viendra pas...

« A quoi sert de guetter la porte ? »
Dit le patron du bar.
« Faut pas s'énerver
Vous êtes beau gosse
Elle, elle est pas morte !
Une de perdue, dix de retrouvées... »

Il remet vingt balles dans la mécanique
De ses doigts crispés, il tend le ressort.
La bille sème partout des flashes électriques
Pas autant, pourtant,
Qu'y'en a dans son corps...
Ah ! La sacrée garce ! Elle ira quand même...

Re-ding! Ding! Ça y est!
Dans l'trou des cinq cents!!!
Une partie à l'œil, il comprend le système
Et ding! Et re-ding!! Ça devient angoissant…
Ding! Ding! Il s'agrippe, il secoue, il cogne…
Ding! Comme si c'était…
«Holà! Faudrait voir…!
Il va tout casser», dit le patron qui rogne
Zut! Le jeu s'éteint!… Neuf heures…
Plus d'espoir…
Il s'excuse, il s'en va livide,
Les nerfs détendus, mais le cœur si gros.
«Il va jouer ailleurs»
Dit le patron candide
«Il va jouer ailleurs, ou bien se foutre à l'eau…»

Ding! Cent mille! Ding! Ding! Deux cent mille!
Trois cent! Quatre cent!
Cinq cent mille!
Ding! Ding! Ding! Re-ding! Ding! DING!… TILT!!!…

1962

Ça fait drôle

Paroles de J. Plante   *Musique de Ch. Dumont*

Ça fait drôle, ça fait vraiment drôle
Quand nos corps se frôlent
De nous éveiller
Émerveillés...
Ça fait drôle de sortir d'un rêve
Au creux d'un lit tiède
Surpris par le jour
Dans notre amour...
L'existence
Toujours étonnante
Fait de ces miracles
Faudrait l'applaudir
Comme au spectacle
Ça fait drôle, j'avais peur de vivre
Et puis tout arrive
Et ce tout pour moi,
Ça veut dire toi.

Ça fait drôle de rejouer ce rôle
Contre ton épaule
Ce rôle oublié
De femme aimée...
De renaître.
De me reconnaître.
Dans les yeux d'un être
Lorsque lui non plus
N'y croyait plus.
Il me semble
Que mes jambes tremblent
Que tout recommence

Après des années de longue absence
Ça fait drôle, je reprends ma place
Faut que je m'y fasse
J'apprends le bonheur,
J'l'apprends par cœur.

Ces visages, je ne peux pas y croire
J'ai eu trop d'histoires
Je traîne avec moi trop de mémoire
Mais quand même
Ça fait drôle quand même
D'entendre «je t'aime»
Car si cette fois-ci...
Si cette fois-ci...
Si cette fois-ci...
Si cette fois-ci...
Si cette fois-ci...
Si cette fois-ci...

Polichinelle

Paroles de J. Plante   *Musique de Ch. Dumont*

Tire les ficelles
Tire les ficelles
Ton polichinelle
Te tendra les bras
Tourne la baguette
Et ta marionnette
Penchera la tête
Et te sourira
Tant que tes doigts lestes
Commandent mes gestes
Tu te fous du reste
Ça ne compte pas
Tire les ficelles
Et Polichinelle
Aussitôt fera
Ce que tu voudras

Tire les ficelles
Tire les ficelles
Ton polichinelle
Fera mille tours
Te dira : « Je t'aime »
Cachera ses peines
Cachera sa haine
Sous les mots d'amour
J'irai dans le monde
Pour que toi dans l'ombre
Tu aies le triomphe
Auquel tu as droit
Ton polichinelle
Fera tant de zèle
Que dès qu'on nous verra
On t'applaudira
Sais-tu seulement
Si j'ai un cœur
Sais-tu seulement
Si j'ai une âme
C'est pas prévu dans ton programme
De prestidigitateur

Tire les ficelles
Tire les ficelles
De Polichinelle
Mais prends garde à toi
Car il est possible
Que je me délivre
Des fils invisibles
Qui m'attachent à toi
En brisant le charme
Je retrouve une âme
Je redeviens femme
Je redeviens moi...
Faut que t'en profites
On se lasse vite
Et le jour viendra
Où ça cassera...

Où ça cassera…
Où ça cassera…

Le rendez-vous

Paroles de R. Rouzaud   *Musique de F. Lai*

Ils étaient trois au rendez-vous
Qui se regardaient les yeux fous
Ils étaient trois au coin de la rue
Mais l'un n'était pas attendu
Ils étaient trois qui savaient bien
Que l'un d'eux tenait dans sa main
De quoi faire d'un ciel de mai
Un ciel de deuil à tout jamais

Un de trop…
En ce court moment
Où un nouveau roman
D'un autre prend la place
Un de trop…
Qu'un seul bras étendu
Peut laisser étendu
Parmi les gens qui passent

Ils étaient trois au rendez-vous
Qui se regardaient les yeux fous
Ils étaient trois qui savaient bien
Que tout tenait dans une main

« Comme je l'aimais…
Comme elle m'aimait…
Que de belles heures… »
Songeait celui qui venait du passé
« Comme je l'aime…
Et comme elle m'aime…
Cela vaut bien qu'on meure… »
Songeait celui qui l'avait remplacé

Mais elle... Mais elle...
A quoi songeait-elle ?
En cet instant où tout peut s'effacer...

Ils étaient trois au rendez-vous
Qui se regardaient les yeux fous
Ils étaient trois au coin de la rue
Mais l'un n'était pas attendu
Et celui-là savait très bien
Que le passé n'y pouvait rien
Que l'avenir est le plus fort
Plus fort que tout et que la mort

Et soudain... le bras s'est baissé
Qui pouvait arrêter
Un amour près de naître
Le bonheur peut encore danser
Et cette vie chanter
Qui pouvait ne plus être...

Ils étaient deux au rendez-vous
Qui s'en allaient heureux et fous
Vers leur soleil sans voir celui
Qui revenait seul dans sa nuit...

Les amants
Duo : Edith Piaf-Charles Dumont

Paroles d'Edith Piaf　　　　　　　　*Musique de Ch. Dumont*

Quand les amants entendront cette chanson
C'est sûr, ma belle, c'est sûr qu'ils pleureront...

Ils écouteront
Les mots d'amour
Que tu disais
Ils entendront
Ta voix d'amour

Quand tu m'aimais
Quand tu croyais que tu m'aimais
Que je t'aimais, que l'on s'aimait...

Quand les amants entendront cette chanson
C'est sûr, ma belle, c'est sûr qu'ils pleureront...

J'entends toujours... j'entends ton rire
Quand quelquefois je te disais :
« Si un jour...
... tu ne m'aimais plus
Si un jour...
... on ne s'aimait plus... »
Tu répondais : « C'est impossible ! »
Et tu riais... tu riais...
Eh bien, tu vois, tu n'aurais pas dû rire...

Quand les amants entendront cette chanson
C'est sûr, ma belle, c'est sûr qu'ils pleureront...

Ils écouteront
Les mots d'amour
Que tu disais
Ils entendront
Ta voix d'amour
Quand tu m'aimais
Quand tu croyais que tu m'aimais
Que je t'aimais, que l'on s'aimait...

Quand les amants entendront cette chanson
C'est sûr, ma belle, c'est sûr qu'ils pleureront...

Musique à tout va

Paroles de R. Rouzeau   *Musique de F. Lai*

Si je vous dis que derrière ça
Derrière cette musique à tout va

Y'a le passé dans ses haillons
Qui vient mendier à ma chanson
Si je vous dis que derrière ça
Y'a vos péchés qui n'oublient pas
Et vos anciens rêves d'amour
Qui battent, battent le tambour
Regardez-les monter sur scène
Ce sont vos joies, ce sont vos peines
Et ces remords qui font la chaîne
Pour qu'on trébuche sur leurs pas
Si je vous dis que derrière ça
Derrière cette musique à tout va
Y'a ce qu'on tue et ne meurt pas
Oh! Sûr, que vous ne me croirez pas...

Si je vous dis que devant ça
Devant cette musique à tout va
Tout ce passé soudain renaît
De la poussière, des regrets
Si je vous dis que devant ça
Comme une armée de p'tits soldats
Y'a des « je t'aime » qui vont dansant
Et des baisers de vingt printemps
Allez, ne baissez plus la tête
Rien ne demeure et ce qu'on jette
Il reste à vivre d'autres fêtes
Qui flamberont en feux de joie

Si je vous dis que devant ça
Devant cette musique à tout va
Je vois ces choses qu'on ne voit pas
Oh! Sûr, que vous ne me croirez pas...
Mais je les vois, mais je les vois
Oui je les vois, oui je les vois
Devant cette musique à tout va
Ahahaha...

Le diable de la Bastille

Paroles de P. Delanoë   *Musique de Ch. Dumont*

C'est incroyable mais vrai
Invraisemblable mais vrai
C'est le diable qui dansait
Au quatorze juillet
Place de la Bastille
C'est incroyable mais vrai
Invraisemblable mais vrai
Il savait bien le malin
Qu'il tenait dans ses mains
Le destin d'une fille
Car il est joli garçon
Il connaît bien la chanson
A la flamme des lampions
Au son d'l'accordéon
Il est méconnaissable
Et la fille n'a rien vu
Elle ne l'a pas reconnu
Tourbillonnant dans ses bras
Elle trouvait ce soir-là
Que c'était formidable

A dix-huit ans on a le droit
De se tromper à ce point-là
Tant le démon a l'air si bon
On peut l'aimer sans se damner

C'est incroyable mais vrai
Invraisemblable mais vrai
C'est le diable qui dansait
Au quatorze juillet
Place de la Bastille
C'est incroyable mais vrai
Invraisemblable mais vrai
Il savait bien le malin
Qu'il tenait dans ses mains
Le destin d'une fille

334

Vraiment il se régalait
Il rigolait, rigolait
Puisque la vie était belle
Elle trouvait naturel
Qu'il ait envie de rire
Elle s'est abandonnée
C'était vraiment bon marché
C'était vraiment trop facile
Une âme aussi docile
Y'avait pas de quoi rire

C'est incroyable mais vrai
C'est le diable qui dansait
C'est le diable qui riait
C'est le diable que j'aimais
Le diable que j'aimais... Le diable que j'aimais...
Le diable que j'aimais...

Inconnu excepté de Dieu
Duo Edith Piaf-Charles Dumont

Paroles de L. Amade   *Musique de Ch. Dumont*

L'inscription d'une croix ancienne
Près d'un champ de blé merveilleux
M'arrêta... je lus à grand-peine :

« Inconnu excepté de Dieu »

Quel destin à vrai dire, immense
Repose sous ce granit bleu
Parmi les blés qui se balancent

« Inconnu excepté de Dieu »

Est-ce un enfant, ou est-ce un homme
Pour qui la mort fit, c'est tant mieux
De mettre un carré de royaume

«Inconnu excepté de Dieu»

A-t-il souffert, fut-il coupable
A-t-il fait pleurer de beaux yeux
Fut-il tragédie ou bien fable

«Inconnu excepté de Dieu»

A-t-il la pluie comme village
Et le vent d'hiver pour chef-lieu
Le soleil pour grand équipage

«Inconnu excepté de Dieu»

J'ai pris par la voie charretière
Un chemin de grands amoureux
J'étais inondé de lumière

«Inconnu excepté de Dieu...»

Carmen's story

Paroles de M. Rivgauche   *Musique de Ch. Dumont*

Dans le grand studio
De cinéma
Sur le plateau
Tout le monde est là
Les deux vedettes et les acteurs
Metteur en scène et producteur
Décorateurs, et assistants
Et puis la foule des figurants
On va tourner la première scène
Du nouveau film d'après *Carmen*
Et quelqu'un crie : «Silence ! On tourne !»
Carmen's story ! Carmen's story !

Comme si le destin, tout simplement
N'attendait plus que ce moment
Il vient frapper en cet instant
Parmi la foule des figurants.
Alors soudain, elle l'aperçoit,
Il lève la tête, et il la voit,
Et dans leurs yeux il y a l'amour,
Mais un amour de fin des jours…
Et quelqu'un crie: «Très bon! Coupez!»
Carmen's story! Carmen's story!

Elle ne voit que lui dans le studio,
Il ne voit qu'elle sur le plateau,
Et dans la foule des figurants
Habit brodé, habit clinquant,
En somnambules, au fil des jours,
Illuminés par leur amour,
Sans le savoir, transfigurés,
Ils sont Carmen et Don José.
Et quelqu'un crie: «Silence! On tourne!»
Carmen's story! Carmen's story!

Mais dans le studio de cinéma
Voilà qu'un jour il l'aperçoit
En train de rire, rire aux éclats
Avec cet homme qui est là-bas…
Ça lui fait mal, il veut partir…
Mais le destin doit s'accomplir
Et dans la foule des figurants
Elle est tombée, sans même crier…
Quelqu'un a dit: «Très bon! Coupez!»
Carmen's story! Carmen's story!

© Métropolitaines, 1962.

On cherche un Auguste

Paroles de R. Gall   *Musique de Ch. Dumont*

«On cherche un Auguste»...
Pancarte en plein vent
Écrite à la craie
On cherche un Auguste...
Je suis là devant
Sous le ciel mouillé
J'ai poussé le rideau
Du cirque en plein air
Qui fait le gros dos
Sous le vent d'hiver.

On cherche un Auguste...
J'ai demandé le patron
Qui dormait au fond
Il m'a dit c'est juste
Rajustant son melon
Si tu veux, causons
Pour ce que vous cherchez
Je ferais bien votre affaire
Je connais des histoires
J'amuse les copains
J'suis un boute-en-train
Comme disait ma mère
Et puis j'aimerais bien
Voyager au loin.

On cherche un Auguste...
Mais faut pas, mon garçon
Te faire d'illusions
Car la place d'un Auguste
Comme situation
C'est pas le vrai filon
Les habits fripés
La figure blême
Les claques sur le nez
Jamais de «je t'aime»

Pour les grands voyages
On fait dans l'année
La Nièvre et l'Allier
Et pour toute fortune
T'as le clair de lune
Et les poches trouées
... Eh! L'homme!
Ben, ne t'sauve pas comme ça...

... On cherche un Auguste...

Le petit brouillard

Paroles de J. Plante   *Musique de F. Lai*

Toujours ce sale petit brouillard
Toujours ce sale petit cafard
Qui vous transperce jusqu'aux os
Et qui se colle à votre peau

Il me semble le voir encore
Le soir où son copain du port
Lui apporta le faux passeport
Et son visa pour Buenos Aires
J'ignore ce qu'il avait fait
Je n'avais compris qu'une chose
Que sa dernière chance était
Qu'il prenne ce navire à l'aube
Et quand vint l'heure du départ
Je reçus son dernier regard
Dans le petit matin blafard
Déchiré par les sirènes

Toujours ce sale petit brouillard
Toujours ce sale petit cafard
Qui vous transperce jusqu'aux os
Et qui se colle à votre peau

La passerelle était levée
Et c'est quand je l'ai cru sauvé
Que des hommes sont arrivés
Et l'ont fait redescendre à terre
J'ignore ce qu'il avait fait
Mais pour ne pas me compromettre
Il passa menottes aux poignets
Sans avoir l'air de me connaître
Et depuis qu'ils l'ont emmené
Je pense à lui des jours entiers
En regardant les longs courriers
Diminuer et disparaître

Toujours ce sale petit brouillard
Toujours ce sale petit cafard
Toujours ce sale petit brouillard
Toujours ce sale petit cafard
Toujours ce sale petit brouillard
Toujours ce sale petit cafard...

Quatorze juillet
Du film *Les Amants de Teruel*

Paroles de J. Plante   *Musique de Mikis Théodorakis*

Il me vient par la fenêtre
Des musiques de la rue
Chaque estrade a son orchestre
Chaque bal a sa cohue
Ces gens-là m'ont pris ma fête
Je ne la reconnais plus

Dans ma chambre je me chante
L'air que nous avons valsé
Je regarde la toquarde
Où tes doigts se sont posés

Tu m'as dit : « Tu es si belle »
Et tu as, l'instant d'après,

340

Ajouté : « La vie est bête »
J'ai compris que tu partais
Si tu ne reviens jamais
Il n'y aura plus de quatorze juillet

Il me vient par la fenêtre
Un murmure qui s'éteint
Les chansons d'une jeunesse
Attardée dans le matin
N'allez pas troubler mon rêve
Allez rire un peu plus loin

Que m'apporte, que m'apporte
Cette joie de quelques heures
Je suis morte, je suis morte
Et je t'ai déjà rejoint
Et mon corps est près du tien
Mais personne n'en sait rien…

Les amants de Teruel
Du film *Les Amants de Teruel*

Paroles de J. Plante   *Musique de Mikis Théodorakis*

L'un près de l'autre
Se tiennent les amants
Qui se sont retrouvés
Pour cheminer côte à côte
Retrouvés dans la mort
Puisque la vie n'a pas su les comprendre
Retrouvés dans l'amour
La haine n'ayant pas pu les atteindre
Les feuilles, les feuilles tombent
Sur leur lit de Noce
Que la terre soit douce
Soit douce aux amants de Teruel
Enfin réunis dans l'ombre…

L'un près de l'autre
Ils dorment maintenant
Ils dorment, délivrés
De l'appréhension de l'aube
Se tenant par la main
Dans l'immobilité de la prière
Renouant leur serment
Dans la tranquille éternité des pierres
La Nuit leur ouvre ses portes
Tout rentre dans l'ordre
Leur étreinte demeure
Demeure à jamais suspendue
Ainsi qu'une note d'orgue...

Roulez tambours

Paroles d'Edith Piaf   *Musique de F. Lai*

Allez, roulez, roulez tambours
Pour ceux qui meurent chaque jour
Pour ceux qui pleurent dans les faubourgs
Pour Hiroshima, Pearl Harbour
Allez, roulez, roulez tambours
Ont roulé pour Napoléon
Au son des fifres et des clairons
Ils ont roulé pour tant de guerres
Et roulent sur la terre entière
Ils roulent, roulent nuit et jour
Quand rouleront-ils pour l'amour ?
Allez, roulez, roulez tambours...

J'ai vu, j'ai vu tant de misère
Et tant souffrir autour de moi
Que je ne me rappelle guère
Si la douleur était pour moi
J'ai souvent vu pleurer ma mère
Je crois bien que c'était pour moi
J'ai presque vu pleurer mon père
Il ne m'a jamais dit pourquoi...

Allez, roulez, roulez tambours
Pour ceux qui meurent chaque jour
Pour ceux qui pleurent dans les faubourgs
Pour Hiroshima, Pearl Harbour
Allez, roulez, roulez tambours
Ont roulé pour Napoléon
Au son des fifres et des clairons
Ils ont roulé pour tant de guerres
Et roulent sur la terre entière
Ils roulent, roulent nuit et jour
Quand rouleront-ils pour l'amour?
Allez, roulez, roulez tambours...

Entendez sonner les trompettes
Elles partent de Jéricho
Elles résonnent dans ma tête
Pour sangloter dans un écho
Moi je voudrais bien qu'elles chantent
Pour le garçon qui va m'aimer
Pour mes amis dans la tourmente
Et pour ceux qui l'ont mérité...

Allez, roulez, roulez tambours
Pour ceux qui naissent chaque jour
Pour ceux qui rient dans les faubourgs
Pour Hiroshima mon amour...
Allez, roulez, roulez tambours
Vous roulerez sous les chansons
Au rythme des accordéons
Pour l'heure et pour la fin des guerres
Roulerez sur la terre entière
Et moi je jouerai du tambour
Et moi je chanterai l'amour
Et moi je chanterai l'amour
Et moi je chanterai l'amour...

Le droit d'aimer

Paroles de R. Nyel   Musique de F. Lai

Qu'ils se lèvent ou qu'ils meurent
Ces soleils rouges ou gris
Et que tournent les heures
Et que passe la vie
A la face des hommes
Au mépris de leurs lois
Jamais rien ni personne
M'empêchera d'aimer.
J'en ai le droit d'aimer
J'en ai le droit
A la face des hommes
Au mépris de leurs lois
Jamais rien ni personne
M'empêchera d'aimer.

A souhaiter des noces
Comme celles des gosses
En âge de l'amour
Je l'ai voulu ce droit !
Par des matins d'ivresse
Et des nuits de détresse,
Luttant pour cet amour,
Je l'ai conquis ce droit !
Par la peur de tout perdre
Au risque de me perdre
Pour que vive l'amour
Je l'ai payé ce droit !

Bien que le temps n'efface
Ni les deuils ni les joies
Quoi qu'on dise ou qu'on fasse
Tant que mon cœur battra
Quelle que soit la couronne
Les épines ou la croix
Jamais rien ni personne
M'empêchera d'aimer...

J'en ai le droit d'aimer
J'en ai le droit...
A la face des hommes,
Au mépris de leurs lois,
Jamais rien ni personne
M'empêchera d'aimer...
De t'aimer...
D'être aimée... D'être aimée...

Emporte-moi

Paroles de J. Plante   *Musique de F. Lai*

A Paris, la nuit, Pigalle s'illumine
Les clients des bars ont des mauvaises mines
Sous les lampes crues
Les sourires se fardent
Dans un coin, éperdus
Deux amants se regardent

Emporte-moi bien loin, bien loin d'ici
Emporte-moi là-bas dans ton pays
Arrache-moi de ce monde où je vis
Emporte-moi bien loin, bien loin d'ici...

A Paris, la nuit, les cœurs vieillissent vite
Sur le seuil des bars, des lèvres vous invitent
Sous les lampes crues
Des souvenirs grimacent
Dans un coin, éperdus
Nos deux amants s'enlacent

Emporte-moi bien loin, bien loin d'ici
Emporte-moi là-bas dans ton pays
Arrache-moi de ce monde où je vis
Emporte-moi bien loin, bien loin d'ici...

Au petit matin le ciel devient tout rose
Le quartier s'éteint, c'est l'heure où l'on arrose

Au dernier bistrot
Le patron fait la gueule
Une femme au bar chantonne toute seule

La-la-la...
Emporte-moi bien loin, bien loin d'ici...

Toi tu n'entends pas

Paroles de P. Delanoë   *Musique de Ch. Dumont*

Toi tu n'entends pas
Toi tu n'entends pas
Cette fête
Dans ma tête
Toi tu les vois pas
Tous ces millions de chandelles
Qui brûlent dans ma cervelle
Toi tu n'entends pas
Toi tu n'entends pas
C'est trop bête
C'est trop bête
Toi tu n'entends pas
Cet orchestre gigantesque
Puisqu'il ne joue que pour moi

Toi tu n'entends pas
Toi tu n'entends pas
Cette foule
Qui me saoule
De ses cris de joie
Qui danse carmagnole
Et chante des choses folles
Toi tu n'entends pas
Toi tu n'entends pas
Le vacarme
Qui s'acharne
Tout au fond de moi

346

Il m'envahit corps et âme
Mais toi tu ne l'entends pas

Toi tu n'entends pas
Toi tu n'entends pas
Les musiques
Et les cirques
Et les opéras
La garde républicaine
La grande fête foraine
Toi tu n'entends pas
Toi tu n'entends pas
Mon cœur battre
Se débattre
Se battre pour toi
Il fait du bruit comme quatre
Mais toi tu ne l'entends pas

Toi tu n'entends pas
Toi tu n'entends pas
C'est trop bête
C'est trop bête
Toi tu n'entends pas
Ces millions de poèmes
Dont chaque rime est « je t'aime »
Tu les entendras
Tu les entendras
Quand tu m'aimes
Quand tu m'aimes
Quand tu m'aimeras
Tu entreras dans ma ronde
Le jour où tu m'aimeras
Tu entreras dans ma ronde...
... Le jour où tu m'aimeras...

Fallait-il

Paroles de M. Vaucaire　　　　　　　　*Musique de Ch. Dumont*

Pour partir de chez moi
Pour partir de chez toi
Pour laisser tout tomber
Sans regarder derrière soi
Fallait-il, fallait-il,
Fallait-il que l'on s'aime...
Fallait-il en avoir
De l'amour, toi et moi...

Pour chaque fois se quitter
Sur un mot maladroit
Pour chaque fois le regretter
Et chaque fois recommencer
Fallait-il, fallait-il,
Fallait-il que l'on s'aime...
Fallait-il en avoir
De l'amour, toi et moi...

Pour s'aimer aussi mal
Aussi mal qu'on s'aimait
Pour se faire autant de mal
Autant de mal qu'on s'est fait
Fallait-il, fallait-il,
Fallait-il que l'on s'aime...
Fallait-il en avoir
De l'amour, toi et moi...
Pour n'avoir jamais pu
Être heureuse...
Être heureuse après toi...

Une valse

Paroles de J. Plante   *Musique de Ch. Dumont*

Une valse
Une étrange valse
Tient toute la place
Dans ma rêverie
Et dans ma vie
Elle évoque
Une lointaine époque
Un décor baroque
L'ancienne Russie
Et ses folies
Et j'invente
Une ville immense
Qui chante et qui danse
Le Saint-Pétersbourg
Des nuits blanches

Je m'évade
Roulée dans ces vagues
Touchée par la grâce
Je ferme les yeux
C'est merveilleux

Et ma valse
Tourne dans les glaces
De tout un palace
D'or et de cristal
Ces soirs de bal
Robe longue
Envol de colombe
La lumière et l'ombre
Tout tourne à la fois
Autour de moi
J'ai la fièvre
De sang sur mes lèvres
Le feu de la fête
Je ne sais plus bien

Si je rêve
Et je danse
Dans ma robe blanche
Deux doigts sous la manche
D'un jeune aspirant
J'ai dix-sept ans

Cette valse
Ce n'est que la valse
Que l'orchestre en face
Dans ce cabaret
Joue sans arrêt
Mon beau prince
N'est ni grand, ni mince
Dans le froid qui pince
Il fait son métier
C'est le portier
Du ciel pâle
Une neige sale
Descend en rafales
Et tombe sans bruit
Sur Pigalle...

Les enseignes
En lettres qui saignent
S'allument et s'éteignent
Au cœur de Paris
Hôtel de Russie...
Hôtel de Russie...
Hôtel de Russie...

1963

Un dimanche à Londres

Paroles d'Edith Piaf   *Musique de F. Véran*

Je suis seul à Londres
Ce dimanche-là
Dans la brume de Londres
Le ciel est lilas
Et j'entends les cloches
Ce dimanche-là
Elles pleurent les cloches
Toi tu n'es plus là
Mon Dieu qu'il est triste
Ce dimanche-là
Mon Dieu que c'est triste
Pourquoi suis-je là

Une simple dispute
Trop de vanité
C'est à cœurs qui luttent
Que nous avons joué
Et si toi tu pleures
De m'avoir perdu
Et si moi je meurs
De t'avoir perdue

C'est la vanité
C'est la dignité
C'est notre fierté
Qu'il faut condamner

Je suis seul à Londres
Ce dimanche-là
Dans la brume de Londres

Le ciel est lilas
Et j'entends les cloches
Ce dimanche-là
Elles pleurent les cloches
Toi tu n'es plus là
Mon Dieu qu'il est triste
Ce dimanche-là
Mon Dieu que c'est triste
Pourquoi suis-je là

Défense de...

Paroles d'Edith Piaf-M. Vaucaire   *Musique de Ch. Dumont*

Défense de sortir par là
D'entrer ici faites attention
Défense de stationner là
Sens interdit, contravention
Défense de, partout ce mot
Sur des panneaux d'interdiction
Défense de, partout ce mot
S'étale en gros, en large, en long
Alors vois-tu j'ai peur qu'un jour
On interdise aussi l'amour
J'ai peur qu'un jour
On interdise aux amoureux
De s'aimer comme on s'aime nous deux

Défense de cueillir des fleurs
Et de marcher sur le gazon
Défense de graver des cœurs
Sur les murs noirs de la prison
Défense de, tu vois ça y est
On nous en veut d'aimer la vie
Défense de, on nous en veut
D'aimer la vie et d'être heureux
Alors vois-tu
Si tu connais une île perdue

Un coin secret
Où rien encore n'est interdit
Emmène-moi, je t'y suivrai tout droit
Même si c'est loin
Même si c'est loin
Très loin très loin

Chez Sabine

Paroles d'Edith Piaf   *Musique de F. Véran*

Devant un snack-bar
Stoppe une Jaguar
Un type en descend
Avec ses vingt ans
Très décontracté
Il fait son entrée
Un signe de la main
Salut les copains

On va chez Sabine
Ça c'est une copine
Elle, elle connaît tout
Elle, elle est dans le coup
Et les voilà partis
Dans les nuits de Paris
Vraiment c'est marrant
Quand on a vingt ans

Les voilà chez Sabine
Copains et copines
Ils commencent à danser
Comme des obsédés
Et seul dans son rêve
Une ombre se lève
Il est habité comme sa vérité

Son corps qui balance
C'est un fou qui danse

353

Dans son monde à lui
Là il sait qu'il vit
Et tous les copains
Jusqu'au petit matin
Dansent dansent avec lui
Dans les nuits de Paris

Mais les nuits ça crève
Et le jour se lève
La Jag' prend le départ
Avec le hasard

Quoi qu'est-ce que vous dites
Quoi il va trop vite
Lui il a du nerf
Lui il accélère
Encore et encore
Tout droit sur la mort
Et voilà c'est là
Quel drôle de fracas

Le soir chez Sabine
Copains et copines
Ils sont silencieux
Se regardent entre eux
Alors la musique
A joué sa musique
Il est revenu
Tous les gens l'ont vu
Ils l'ont vu danser
Un truc de cinglé
Qui fait pour rêver
On est fatigué

Ils étaient figés
Pas un n'a bougé
Ça c'est insensé
Voir la mort danser

La bande en noir

Paroles d'Edith Piaf   *Musique de F. Véran*

On l'appelait la fureur de vivre
Il était tout couleur du soir
Il dévorait le temps de vivre
C'était le chef de la bande en noir

Pour lui, il y avait la vitesse
Gagner du temps, dépasser le temps
Fais attention, à ta jeunesse
On n'a pas tous les jours vingt ans

Il cherchait toujours la bagarre
Il était cruel et méchant
Il disait qu'il en avait marre
De cette vie et de ses vingt ans

Pas une fille ne l'intéresse
Elle peut pleurer celle qui l'attend
Elle y perdra toute sa jeunesse
Elle y perdra des larmes de sang

A force de chercher la bagarre
On l'a vu se battre une nuit
Avec une autre bande en noir
La bagarre a très mal fini

Toute une jeunesse de foutue
Et ses vingt ans qu'il a perdus
Étendu là sur le trottoir
Ah c'était pas joli à voir

On l'appelait la fureur de vivre
Il était tout couleur du soir
Il dévorait le temps de vivre
C'était le chef de la bande en noir

Il ne fera plus de vitesse
Il a voulu dépasser le temps

En plein milieu de sa jeunesse
Il est mort avec ses vingt ans

Les mains

Paroles d'Edith Piaf   *Musique de F. Lai*

J'en ai touché des mains
La main de mes amis
Ou de mes ennemis
Des mains indifférentes
Des mains qui se repentent
Comme celles des assassins

J'ai vu, j'ai vu des mains
Qui rythmaient et qui scandaient
Des rythmes affolants
Des rythmes obsédants
Des mains qui imploraient
Des mains qui suppliaient
Des mains qui se tordaient
Des mains qui se tendaient
D'un geste déchirant
Comme celle des mendiants
Des mains qui caressaient
Des mains qui désiraient
Et des mains qui juraient
Qui juraient des deux mains
En jetant d'une main
Des mains, des mains, des mains

J'ai regardé mes mains
Ces mains qu'ont trahi
Ces mains qu'ont menti
Elles étaient parfois dures
Et pas toujours très pures
J'ai honte de mes mains

356

Et puis j'ai vu tes mains
Oh mon Dieu quelles mains
Tu m'as donné tes mains
Pour combler mes matins
Pour moi qui t'implorais
Et qui te suppliais
Mes mains qui attendaient
Mes mains qui se tendaient
D'un geste déchirant
Comme celles des mendiants
Et j'ai pris tes deux mains
Pour tous mes lendemains
Tes mains qui caressaient
Tes mains qui désiraient
Tes mains qui m'affolaient
Tes mains, tes mains, tes mains

Traqué

Paroles de R. Gall   *Musique de F. Véran*

Voyez cet homme qui court, qui court
Parmi la ville et les avenues
Voyez cet homme qui court, qui court
Parmi la ville, à cœur perdu

Mais qu'a-t-il fait ?
A-t-il volé ?
A-t-il tué ?
Nul ne sait, nul ne sait, nul ne sait...
Est-il traqué
Par son passé
Qui court après ?
Moi je sais, moi je sais, moi je sais...

Il court, il court en bousculant
Sur son passage même les enfants
Et toute la ville et tous les gens

357

Lui montrent le poing en passant

Voyez cet homme qui court, qui court
Parmi les rues et les avenues
Voyez cet homme qui court, qui court
Parmi la ville, à cœur perdu

Ce qu'il a fait :
Il a tué…
Pour qui ? Pourquoi ?
Moi je sais, moi je sais, moi je sais…
Il est traqué
Et c'est chez moi
Qu'on est venu le chercher, le chercher, le chercher…

Sa seule chance est de partir
Et comme un fou il va s'enfuir
Jusqu'à la fin
Il va courir
Peut-être bien
Jusqu'à mourir…
Jusqu'au grand fleuve
Qui coule là-bas
Jouant sa vie à pile ou face
Et puis, mon Dieu, que le temps passe
Mais cette histoire… ne regarde que moi…
Que moi…
Que moi…
Que moi…
Que moi…

Un jour

Paroles de G. Moustaki   *Musique de C. Rolland*

1

Un jour
Il reviendra dans vos mémoires
Et fera trembler la nuit noire
Qui sait, demain ou dans un an
Un jour
Il faudra lui rendre des comptes
Se mettre nu, crever de honte
Se découvrir en le voyant
Et moi
Je serai près de lui tout contre
Et je vous montrerai du doigt
Chacun
Dira ce n'est pas ma faute
Chacun dira montrant les autres
C'était pas moi, c'étaient ceux-là.

2

Un jour
Oui, cherchez bien dans vos mémoires
Il est parti dans la nuit noire
La tête basse, le cœur blessé
Tout ça
Parce qu'il semblait sourire aux anges
Et ça paraît toujours étrange
Un homme qui ne pense qu'à rêver
Tout ça
Parce qu'il m'avait trouvée jolie
Comme il trouvait belle la vie
Qu'il savait vivre sans effort
Un jour
Vous l'avez chassé de la lune
Pour qu'il s'en aille chercher fortune
Mais vous avez crié trop fort.

3

Un jour
Ce soir, demain ou peu importe
Et que le diable vous emporte
Il entrera comme chez lui
Un jour
Tous ceux-là qui voulaient le prendre
Lui vendront la corde pour le pendre
Il en paiera dix fois le prix
Alors
Les portes s'ouvriront toutes grandes
Nous entrerons dans la légende
Et vous rêverez les nuits
Un jour
Il reviendra dans vos mémoires
Et fera trembler la nuit noire
Un jour, demain ou aujourd'hui
Moi je le sais et je l'attends.

Tiens, v'là un marin

Paroles de J. Bouquet   *Musique de J. Bouquet et B. Labadie*

Tiens, v'là un marin
Il est encore loin
Mais on voit de loin
Que c'est un marin
Tiens, v'là un marin
Ce n'est pas le mien
C'est jamais le mien
Mais c'est un marin

C'est presque le même
Le même que celui
Qui m'a dit «je t'aime»
Je t'aime pour la vie...

Tiens, v'là un marin
Sacré nom d'un chien

C'est chouette un marin
Quand ça vous revient
Tiens, v'là un marin
Moi j'aime les marins
De voir ce marin
Ça me rappelle le mien

Ça me rappelle que j'aime un homme
Un homme, mon homme...
Qui porte le même uniforme
Que porte l'homme qui vient

Tiens, v'là un marin
Valise à la main
Il a sur les reins
Un sac de marin
Tiens, v'là un marin
Il siffle un refrain
Qui dans le matin
L'escorte en chemin

C'est presque le même
Le même que celui
Qui m'a dit «je t'aime»
Je t'aime pour la vie

Tiens, v'là un marin
Comme rien ne ressemble
Plus à un marin
Qu'un autre marin
Tiens, v'là un marin
Quand il sera moins loin
Je lirai sur son front
De quel corps il vient

Si seulement c'était mon homme
Qui Go Home mon homme
Beau comme un dieu en uniforme
En forme et en marin

Rien... J'ai tremblé pour rien
Pour être un marin
C'est bien un marin
Mais ce n'est pas le mien
Le mien... Pourvu que le mien
N'ait pas pris le chemin
D'un de ces pays lointains
D'où jamais un marin
Ne revient...
Ne revient...

L'homme de Berlin
(son dernier enregistrement)

Paroles de M. Vendôme   *Musique de F. Lai*

Sous le ciel crasseux qui pleurait d'ennui
Sous la petite pluie qui tombait sur lui
Lui... l'homme de Berlin...
Dans le vieux faubourg au milieu de la nuit
Il se tenait là, je n'ai vu que lui
Lui... l'homme de Berlin...
Étrangère à Berlin, où je venais d'arriver
Quand on n'attend plus rien
Quand on veut tout changer
Berlin vaut bien Berlin
Moi, il m'en faut peu pour croire, dans la vie
Que tout peut changer, et pourquoi pas lui?...
Lui... l'homme de Berlin...
J'me voyais déjà l'aimer pour la vie
J'recommençais tout, c'était avec lui
Lui... l'homme de Berlin...

Ne me parlez pas de hasard
De ciel, ni de fatalité
De prochains retours, ni d'espoir
De destin, ni d'éternité
Ne me parlez pas de Berlin
Puisque Berlin n'est rien pour moi

Ne me parlez pas de Berlin
Même si Berlin, c'est tout pour moi
Sous le ciel crasseux qui pleurait d'ennui
Sous la petite pluie qui tombait sur lui
Lui... l'homme de Berlin...

J'l'ai pris pour l'amour, c'était un passant
Une éternité de quelques instants
Lui... l'homme de Berlin...
Car lui, l'homme de Berlin, cherchait aussi l'oubli
Il est parti trop loin
Car pour user sa vie
Il n'y a pas que Berlin
Dans chaque visage je ne vois que lui
Et dans chaque nuit je dors avec lui
Lui... l'homme de Berlin...
Sous quel ciel crasseux passe-t-il sa vie
Et dans quel Berlin traîne-t-il sa vie
Lui... l'homme de Berlin...

Mais y'a pas qu'un homme dans ce foutu pays !...
Ici ou ailleurs...
Il n'y a pas que lui...
Il n'y a pas que lui...
Il n'y a pas que lui...
Il n'y a pas que lui...
Il n'y a pas que lui...
Y'a pas que lui... que lui... que lui...

J'en ai tant vu

Paroles de R. Rouzaud   *Musique de M. Emer*

Quand je colle le nez à la portière
Je vois passer ma vie entière
Au fil de mes peines, de mes joies
Et j'en vois beaucoup, croyez-moi
Mais pour toujours recommencer
Faut croire que j'en ai pas vu assez...

J'en ai tant vu, tant vu, tant vu
Dans ma tête, y'avait la cohue
Et je me disais on ne m'aura plus
J'en ai trop vu, trop vu, trop vu
Oui mais à chaque fois
Je remettais ça
Et bien entendu
Je me trouvais encore de la revue
J'en ai trop fait, trop fait, trop fait
De la corde raide sans filet
Mais aussitôt que je comprenais
Que je me disais t'en as trop fait !
On me tendait l'échelle
Alors de plus belle
Je montais encore…
Pour me retrouver dans le décor
J'en ai trop cru, trop cru, trop cru
Des boniments de coin de rue
On m'en a dit, tant dit, tant dit
Des «je t'adore», des «pour la vie»
Tout ça pourquoi, tout ça pour qui ?

Je croyais que j'avais tout vu
Tout fait, tout dit, tout entendu
Et je me disais on ne m'aura plus
Et mais c'est alors qu'il est venu
Et depuis que je l'ai vu
C'est vrai, je marche plus
Oui mais je cours, je cours ma chance
Je cours vers la vie qui commence
Je ne marche plus, je cours, je cours
Je cours, je cours, je cours, je cours,
Je cours, je cours, je cours, je cours,
Je cours, je cours…

A quoi ça sert l'amour?

Duo Edith Piaf-Théo Sarapo

Paroles et musique de M. Emer

A quoi ça sert l'amour?
On raconte toujours
Des histoires insensées
A quoi ça sert d'aimer?

L'amour ne s'explique pas!
C'est une chose comme ça!
Qui vient on ne sait d'où
Et vous prend tout à coup.

Moi, j'ai entendu dire
Que l'amour fait souffrir,
Que l'amour fait pleurer,
A quoi ça sert d'aimer?

L'amour ça sert à quoi?
A nous donner d'la joie
Avec des larmes aux yeux...
C'est triste et merveilleux!

Pourtant on dit souvent
Que l'amour est décevant
Qu'il y en a un sur deux
Qui n'est jamais heureux...

Même quand on l'a perdu
L'amour qu'on a connu
Vous laisse un goût de miel
L'amour c'est éternel!

Tout ça c'est très joli,
Mais quand tout est fini
Il ne vous reste rien
Qu'un immense chagrin...

Tout ce qui maintenant
Te semble déchirant
Demain, sera pour toi
Un souvenir de joie!

En somme, si j'ai compris,
Sans amour dans la vie,
Sans ses joies, ses chagrins,
On a vécu pour rien?

Mais oui! Regarde-moi!
A chaque fois j'y crois!
Et j'y croirai toujours...
Ça sert à ça, l'amour!
Mais toi, t'es le dernier!
Mais toi, t'es le premier!
Avant toi, y'avait rien
Avec toi je suis bien!
C'est toi que je voulais!
C'est toi qu'il me fallait!
Toi que j'aimerai toujours...
Ça sert à ça, l'amour!...

Monsieur Incognito

Paroles de R. Gall   *Musique de F. Véran*

Monsieur Incognito
Qu'est-ce que vous faites ici ce soir
A vous promener dans le noir
Devant ma station de métro?
Monsieur Incognito
N'est-ce pas vous à ce qu'il paraît
Qui donnez l'amour, les baisers
Comme ça à tout propos?

Laissez-moi un peu vous regarder
Votre costume couleur d'automne

Vos chaussures noires bien cirées
Vous ressemblez aux autres hommes...
Monsieur Incognito
Vous avez l'air plutôt gentil
Avec votre air en cheveux gris
Et sans dire un seul mot
Puisqu'on est là rien que tous les deux
On peut parler et s'expliquer
Je vous le dis droit dans les yeux
J'y crois pas à votre conte de fée
Quand j'étais seule, désespérée
Pas trace de vous dans ma vie
Maintenant que tout est arrangé
Faudrait peut-être que je vous remercie !

Monsieur Incognito
Qu'est-ce que vous faites ici ce soir
A vous promener dans le noir
Devant ma station de métro ?
Monsieur Incognito
N'est-ce pas vous à ce qu'il paraît
Qui donnez l'amour, les baisers
Comme ça à tout propos ?

Je n'aime pas votre petit sourire
Votre costume, ni votre voix
Votre regard qui semble dire
Au revoir, à la prochaine fois...
Monsieur Incognito
Partez, vous n'avez pas de veine
Car avec moi, y'a pas de prochaine,
D'au revoir, ni de bientôt
Monsieur Incognito
Vous me regardez secouant la tête
Drôlement avant de disparaître
Soudain, j'ai froid dans le dos...
...
PARTEZ !...

C'était pas moi

Paroles de R. Gall   Musique de F. Lai

Dans sa prison, il a pleuré
S'est révolté, s'est résigné
Et d'une voix désespérée
Il ne cessait de répéter :

C'était pas moi qui ce jour-là passais par là
C'était pas moi !
C'était pas moi qui avais fait ça, cette histoire-là
Ce n'est pas moi !

Mais je n'ai pas su m'expliquer
Cet homme trouvé dans le fossé
J'ai beau crier mon innocence
Dans ma prison
J'ai beau crier dans le silence :
Non, non, et non !

Je reste là depuis des mois
Et j'attends là ce qu'on fera de moi...

Oui, je l'aimais
Cette femme pour qui
On a trouvé
Cet homme tué...
Oui, je l'aimais
J'en étais fou
Et très jaloux
Mais c'est pas vrai !...

Coïncidence ?
Manque de chance ?
C'était pas moi !
C'était pas moi !

J'ai beau crier dans le silence
De ma prison

J'ai beau crier mon innocence
Non, non, et non !

Je reste là depuis des mois
Et j'attends là ce qu'on fera de moi…

Et face au ciel,
Mon seul témoin,
Tendant les mains
Je veux crier :
Ce n'est pas moi !
Ce n'est pas moi !
Ce n'est pas moi !
Ce n'est pas moi !

Les filles d'Israël

Paroles de G. Moustaki et G. Bonnin   *Musique de C. Rolland*

1

Là sur les tables de marbre
Que la pluie a délavées
Sous le bois des plus grands arbres
Mon amour y est gravé
Dans l'appel d'une colombe
Je l'entends parfois encore
Dans le silence d'une tombe
S'éveiller d'entre les morts
Je lui chante la Ballade
Qui ramène les amants
L'amour m'a rendue malade
Mais béni soit son tourment.

Chantez, chantez, filles d'Israël
Criez vos chants
Aux Portes du Ciel.

2

Là où fleurit solitaire
La vigne du meilleur vin
Mon amour dort sous la terre
Protégé par mon chagrin
Entre les rives du fleuve
Mon cœur glisse vers l'oubli
D'autres amants s'y abreuvent
D'autres s'aiment dans son lit
D'autres chantent la Ballade
Que je chantais autrefois
L'amour m'a rendue malade
Et ne peut plus rien pour moi.

Pleurez, pleurez, filles d'Israël
Clamez vos cris aux Portes du Ciel.

3

Sur le sol couvert de givre
Sur les sables de l'été
Et sur le Livre des Livres
Ouvert à l'éternité
Avec des mots de Cantique
Dans les cris de ceux qui s'aiment
Sur les plus belles musiques
Filles de Jérusalem
Chantez, chantez la Ballade
Qui rejoindra l'infini
L'amour m'a rendue malade
Il me conduira vers lui.

Chantez, chantez, filles d'Israël
Criez vos chants aux Portes du Ciel.

Margot cœur gros

Paroles de M. Vendôme   *Musique de F. Véran*

Pour faire pleurer Margot
Margot-cœur-tendre, Margot-cœur-gros
Il suffit d'un refrain
Air de guitare, pleurs d'arlequin
L'enfant du Paradis
Vient là pour oublier sa vie
Plus c'est triste, plus c'est beau
Et plus elle rêve, Margot cœur gros.

Pour faire pleurer Margot
Margot-chagrin, Margot-sanglot
Il lui faut des regrets
De belles amours contrariées
L'enfant du Paradis
Veut voir Colombine en folie
Et voir l'ami Pierrot
Pleurer avec Margot cœur gros.

Pour faire pleurer Margot
Margot-soupir, Margot-mélo
Dans ma vie je n'ai rien
Qu'un grand amour qui finit bien
L'enfant du Paradis
S'ennuie quand les amants sourient
Tant pis pour le mélo
Je t'aime...
Tu m'aimes...
Salut, Margot!

La-la-la...

Le chant d'amour

Paroles d'Edith Piaf   *Musique de Ch. Dumont*

Si vous voulez bien écouter
Je vais chanter un chant d'amour
Un chant d'amour banal à souhait
Pour deux amants qui s'adoraient
Si vous me laissez raconter
L'histoire d'amour belle à rêver
Alors, laissez-moi chanter...

Si vous me laissez raconter
Je vais pleurer leur chant d'amour
Car hélas on a séparé
Nos deux amants, nos fous d'amour
Ils en sont morts d'un même chagrin
Je ne peux chanter le chagrin
Alors, laissez-moi pleurer...

Oui, mais ceux qui se sont aimés
Vraiment aimés, aimés d'amour
Ils se retrouveront un jour
Là dans le temps, et pour toujours
Et je suis sûre que maintenant
Ils sont ensemble nos amants
Alors, laissez-moi chanter...

La-la-la...
La-la...
...
Alors, laissez-moi chanter...

Table

1937

1938

1939

1940

1941

1942

1943

1944

1945

1946

1947

1948

1949

1950

1951

1952

1953

1954

1955

1956

1957

1958

1959

1960

1961

1962

1963

Achevé d'imprimer en janvier 2007 en France sur Presse Offset par
Maury-Imprimeur - 45330 Malesherbes
N° d'imprimeur : 126730 - N° d'éditeur 81694
Dépôt légal 1ᵉʳ publication : septembre 1994
Édition 03 - janvier 2007
LIBRAIRIE GÉNÉRALE FRANÇAISE - 31, rue de Fleurus - 75278 Paris Cedex 06